女優・深田恭子　守護霊インタビュー

「神秘の時」の刻み方

Ryuho Okawa
大川隆法

本霊言は、2014年7月13日、教祖殿 大悟館にて、
質問者との対話形式で公開収録された(写真上・下)。

まえがき

女優・深田恭子さんは神秘的な感じのする方である。女子高生でドラマに出ていた時から、神秘のオーラを感じていた。たぶん体質的には霊感の強い方だろう。

最近では働く女性、キャリアウーマンの星のような役も多くなってきた。アイドルの深キョンが、女性のリーダー役になりつつあるのだ。

ドラマの「ＴＯＫＹＯエアポート」では危機管理をする管制官の役にトライしていたし、ＮＨＫの「サイレント・プア」では、やりすぎるソーシャル・ワーカーの役で、孤独老人社会への挑戦を試みていた。本書を書き上げる直前の十月二十一日スタートのＴＢＳ「女はそれを許さない」では、法廷が怖い、困り顔の女弁護士という複雑な役に「異次元挑戦」している。どこか心魅かれる女性である。本格派読書家系の宗教家に一言いわせる、その真相に迫ってみた。

二〇一四年　十月二十三日

幸福《こうふく》の科学《かがく》グループ創始者兼総裁《そうししゃけんそうさい》　大川隆法《おおかわりゅうほう》

「神秘の時」の刻み方　目次

「神秘の時」の刻み方

――女優・深田恭子《ふかだきょうこ》 守護霊《しゅごれい》インタビュー――

二〇一四年七月十三日　収録
東京都・幸福の科学 教祖殿《きょうそでん》 大悟館《たいごかん》にて

6　女優・深田恭子の「美」の秘密を明かす　117

「霊言現象《れいげん》」とは、あの世の霊存在の言葉を語り下ろす現象のことをいう。これは高度な悟《さと》りを開いた者に特有のものであり、「霊媒現象《れいばい》」（トランス状態になって意識を失い、霊が一方的にしゃべる現象）とは異なる。外国人霊の霊言の場合には、霊言現象を行う者の言語中枢《ちゅうすう》から、必要な言葉を選び出し、日本語で語ることも可能である。

また、人間の魂《たましい》は原則として六人のグループからなり、あの世に残っている「魂の兄弟」の一人が守護霊《しゅごれい》を務めている。つまり、守護霊は、実は自分自身の魂の一部である。したがって、「守護霊の霊言」とは、いわば本人の潜在《せんざい》意識にアクセスしたものであり、その内容は、その人が潜在意識で考えていること（本心）と考えてよい。

なお、「霊言」は、あくまでも霊人の意見であり、幸福の科学グループとしての見解と矛盾《むじゅん》する内容を含《ふく》む場合がある点、付記しておきたい。

「神秘の時」の刻み方

――女優・深田《ふかだ》恭子《きょうこ》 守護霊《しゅごれい》インタビュー――

二〇一四年七月十三日　収録

東京都・幸福の科学　教祖殿《きょうそでん》　大悟館《たいごかん》にて

深田恭子《ふかだきょうこ》（一九八二～）

女優、タレント。東京都出身。愛称《あいしょう》は「深《ふか》キョン」。中学二年生のとき、第21回ホリプロタレントスカウトキャラバンでグランプリを受賞。ドラマ「神様、もう少しだけ」のヒロイン役でブレイク。また、映画「下妻《しもつま》物語」では毎日映画コンクール主演女優賞を最年少で受賞。他にも、ドラマ「富豪刑《ふごうけい》事《じ》」、映画「ヤッターマン」等、数多くの作品に出演している。

質問者　※質問順

武田亮《たけだりょう》（幸福の科学副理事長 兼《けん》 宗務《しゅうむ》本部長）

竹内久顕《たけうちひさあき》（幸福の科学宗務本部第二秘書局局長代理）

斉藤愛《さいとうあい》（幸福の科学理事 兼 宗務本部第一秘書局長 兼 学習推進室顧問《こもん》）

［役職は収録時点のもの］

1　女優・深田《ふかだ》恭子《きょうこ》の守護霊《しゅごれい》を招霊《しょうれい》する

霊的《れいてき》なものについて一般《いっぱん》の人にもよく分かる題材を取り上げたい

大川隆法　今、芸能系など、私のあまり得意ではない分野にも手を出していて、一般《いっぱん》の人には大したことがなくても、私には少々厳しいところです。

幸福の科学の信者には、テレビを持っていない人が多いという説もありまして、申し訳ないことに、私が今日のようなテーマをし始めて、急にテレビを買わなければいけなくなりつつあるという噂《うわさ》もあります（笑）。

そのように、「本は読むけれどもテレビは観《み》ない」という人が多く、私も基本的にはそうだったのですが、最近、大衆布教《ふきょう》をもっと考える必要があると思うようになりました。霊的《れいてき》なことについて知っていただこうと思って、やや目線を下げ、一般の人が分かってくださるような題材をテーマにして、裾野《すその》を広げているところです。

幅広《はばひろ》い役を演じ、神秘的な面を持つ女優・深田恭子《ふかだきょうこ》

大川隆法　以前から、パラパラとではありますが、女優の深田恭子《ふかだきょうこ》さんが出演しているものをいろいろと観ていました。ただ、やはり「演技論」ですべて講義ができるほどには観ていないので、今日は私もたいへん恐縮《きょうしゅく》しています。

深田恭子さんは、一九九六年に、ホリプロのタレントスカウトキャラバンのオーディションで、一万九千百三十人のなかからグランプリに選ばれたという、大変なラッキーガールであり、その後、十代からわりといろいろな役どころを与《あた》えられていたように思います。

高校生ぐらいのころから、大人のような深みのある演技をし、少し神秘的な面がある方のようにお見受けしました。

いろいろなものに出演していますから、みなさんも何か観ているものがあると思います。

私も、映画「夜明けの街で」や「ステキな金縛《かなしば》り」などを観た覚えがあります。

また、ドラマでは「TOKYOエアポート〜東京空港管制保安部〜」（二〇一二年）で管制官の役もしていました。

それから、NHKの連続ドラマ「サイレント・プア」（二〇一四年四〜六月）では、年を取って

映画「夜明けの街で」（2011年公開／原作・東野圭吾／角川映画）

「ステキな金縛り」（2011年公開／フジテレビ・東宝）

身寄りもなく一人で家を守っている老人の問題など、いろいろなことに立ち向かっていく社協《しゃきょう》（社会福祉協議会）の女性（コミュニティ・ソーシャルワーカー）の役をしています。それは、後輩《こうはい》を引っ張っていく、非常に勇気のある先輩役でした。

また、先ほどの管制官役の延長かもしれませんが、最近では、スチュワーデスもののドラマ「キャビンアテンダント刑事《けいじ》」で、ニューヨークのワイナリーを訪《たず》ねて殺人犯を突《つ》き止めるような役もしていました（注。二〇一四年十月スタートのドラマ「女はそれを許さない」では、

ドラマ「女はそれを許さない」（2014年放送／TBS）の制作発表会見で。相棒役の寺島しのぶ（右）とともに弁護士を演じる。

ドラマ「キャビンアテンダント刑事～ニューヨーク殺人事件～」（2014年放送／フジテレビ）

女性弁護士役で主演している)。

全般的には、それほど「演技が特別に上手だ」という印象まではないのですが、何となく心に残る、印象的なタイプの方なのかなと思います。

以前は、恋愛《れんあい》ものなどの役でよかったのでしょうが、やはり年齢《ねんれい》的に三十歳《さい》を超《こ》えたということもあって、最近は、「働く女性のモデル」になれるような役をしようとしている感じを受けています。

昨日《きのう》(七月十二日)は、公開中の映画「超《ちょう》高速！ 参勤交代《さんきんこうたい》」を、超高速で観てきたのですけれども(笑)、そのなかで、ちょっと遊女《ゆうじょ》っぽい、旅館の飯盛女《めしもりおんな》の役をしていました。

内容としては、「五日で参勤交代をせよ」という幕府の嫌《いや》がらせに応じて、山越えをしなが

映画「超高速！ 参勤交代」(2014年公開／松竹)

ら必死になっている殿様一行《とのさまいっこう》がいるのですが、途中《とちゅう》、殿様がお忍《しの》びで泊《と》まった旅館の飯盛女・お咲《さき》を参勤交代に連れていくことになり、恋愛感情が芽生《めば》えて側室《そくしつ》にするという物語になっていました。

このように、いろいろな役をしている方ではありますが、ただ、印象としては、以前に守護霊霊言《しゅごれいれいげん》を収録した菅野美穂《かんのみほ》さんに感じたものと同じような神秘的なものを感じますので、何か霊的な原因があるのではないかと思っています。

人々の心を潤《うるお》す女優・深田恭子の「仕事の秘訣《ひけつ》」を守護霊に訊《き》く

大川隆法　（質問者に）作品のほうには細《こま》かく入れないかもしれませんが、できるだけ本人に語っていただけるようにしてくだされば幸いです。

本当にこのメンバーで大丈夫《だいじょうぶ》ですか（会場笑）。

武田　頑張《がんば》ります（笑）。

大川隆法　何とか、ものにできればいいですね。

私もちょっと無理しているのかなと思いつつも、まあ、やるしかないですね。幸福の科学グループは、芸能方面にも少し手を出していますので、いろいろな人の人気を集めたり、見られたりする役割のようなものも、もう少し勉強してもらわなければいけない面があります。これからは、そのあたりのエキスを抽出《ちゅうしゅつ》して、ある程度、教材化していく必要があるでしょう。

それでは、よろしくお願いします。

もし、質問者が駄目《だめ》でしたら、何か知っている人が会場から出てきて、訊《き》いても構いません。

では、女優・深田恭子さんの守護霊をお呼びしたいと思います。

ここは宗教で、たいへん場違《ばち が》いかもしれませんが、何らかの神秘的なつながりがあるかもしれないとも感じています。

どうか、われらに、多くの人々の心を捉《とら》え、人々の心を潤《うるお》し、楽しみを与えている仕事の秘訣《ひけつ》などについてお教えくだされば幸いです。

女優・深田恭子さんの守護霊よ。

女優・深田恭子さんの守護霊よ。

どうか、幸福の科学 教祖殿《きょうそでん》 大悟館《たいごかん》に降りたまいて、われらに、その本心を語りたまえ。

女優・深田恭子さんの守護霊よ。

どうか、幸福の科学 教祖殿に降りたまいて、その本心を語りたまえ。

（約二十秒間の沈黙《ちんもく》）

2　深田恭子の「神秘的な魅力《みりょく》」の秘密を探る《さぐ》

「女優」としての「心の穢《けが》れ」を気にし、戸惑《とまど》う深田恭子守護霊

武田　おはようございます。

深田恭子守護霊　うーん。

武田　深田恭子さんの守護霊様でいらっしゃいますか？

深田恭子守護霊　うーん、ということになります……。

武田　でしょうか。

深田恭子守護霊　かな？　ええ。

武田　深田恭子さんの「守護霊である」という認識はございますか？

深田恭子守護霊　うん、それはあります。

武田　ありますか。分かりました。本日は、幸福の科学の教祖殿《きょうそでん》に、今、いらっしゃっているのですけれども……。

深田恭子守護霊　いやあ、ちょっと、それは、難しい仕事だなあと感じてます。

武田　そうですか。幸福の科学はご存じですか？

深田恭子守護霊　存じ上げております。

武田　なるほど。今日は、こういったかたちにはなるのですけれども、守護霊様にインタビューをさせていただきまして、深田恭子さんの魅力《みりょく》に迫《せま》りたいと思っています。

深田恭子守護霊　うーん。魅力ですか。

武田　ええ。

深田恭子守護霊　うーん、もし、「心のなかを開けてみたら、真っ黒けだった」とかいうのが出てくると困るんですけど。

武田　いや、そのようなことは、ないのではないでしょうか。

深田恭子守護霊　そうですかねえ。

武田　いろいろな役を演じられて……。

深田恭子守護霊　ええ。女優もいろいろなことをしますので。殺人事件もやれば、まあ、いろいろなこともしますので……。

武田　そうですよね。

深田恭子守護霊　あなたがたから見れば、どれほど〝穢《けが》れた世界〟に生きているかは、ちょっと分かりかねる面はあるんですけども……。

武田　いえいえ。

深田恭子守護霊　こんな聖地《せいち》みたいなところでは、ちょっと厳しいですねえ。

武田　気を楽にしていただいて、自然体でお願いできればと思います。

深田恭子守護霊　うーん。台本もないし、困りましたねえ。

なぜか質問者に「興味・関心」を示す

武田　では、質問のほうをさせていただきたいと思います。

深田恭子守護霊　わあ。

武田　（質問者の竹内に）よろしくお願いいたします。

竹内　おはようございます。（深田恭子守護霊が、竹内の時計を覗《のぞ》き込《こ》んだのに対して）珍《めずら》しいですか（苦笑）。

深田恭子守護霊　うん、ちょっと点検してみたいね。ちょっと点検してみる。

竹内　あっ、点検ですね（苦笑）。

深田恭子守護霊　あなた、変わってらっしゃる。

竹内　変わってますか？

深田恭子守護霊　変わってらっしゃいますね。

竹内　当会のなかでは変わっているかもしれません。

深田恭子守護霊　業界の方のような（感じが）……。

竹内　アハハハ（苦笑）。

深田恭子守護霊　ちょっとします。

竹内　ええ、質問してよろしいですか。

深田恭子守護霊　ああ。すみません。

竹内　（もう一度、深田恭子守護霊が、竹内の時計を覗き込んで）（苦笑）（会場

笑）

深田恭子守護霊　いや、ちょっと面白《おもしろ》いので。

竹内　面白いですか。

深田恭子守護霊　（竹内を見ながら）うん。いろいろなところが、ちょっと面白いなと思って。なんか、テレビかなんか、出ていらっしゃいません？

竹内　いや、出ていないです（苦笑）。当会のなかで頑張《がんば》っております。

深田恭子守護霊　ああ、そうですか。なんか、浮《う》いてらっしゃる。

竹内　ちょっと、浮いてるかもしれないです（苦笑）（会場笑）。

深田恭子守護霊　ああ、やっぱり。ちょっとね、業界の方のような感じがちょっとするの……。

竹内　あっ、そうですか。以前に映画製作の仕事もしてたので、多少……。

深田恭子守護霊　ああ、そう。いや、そういうものではなくて、なんか、内側から出てくるものが、そういう……。

武田　はあ。似たものを持っているということですか。

深田恭子守護霊　業界の方のような感じがします。（業界で）「よく見る」っていうか、感じるタイプ。

武田　感じるタイプ（会場笑）。好きなタイプですか？

深田恭子守護霊　いや、「好きかどうか」っていうんでなくて（会場笑）、仕事で、なんか、感性的に交わることがあるタイプの方ですね。

今日、お坊《ぼう》さんみたいな人ばっかり出てきたら、どうしようかなと思って、ちょっと……。

武田　はあ、なるほど。少し違《ちが》うタイプであったと。

深田恭子守護霊　うーん。

女優・深田恭子の「神秘性」の秘密とは

竹内　では、そのような感じで話を進めていければと……。よろしいですか。

深田恭子守護霊　うーん……。怖《こわ》いなあ（会場笑）。

竹内　怖くないです（苦笑）。全然、怖くないです。

深田恭子守護霊　いじめないでください。

竹内　いじめないですから……。

武田　大丈夫《だいじょうぶ》です。

竹内　深田さんは、ＨＩＶ感染《エイチアイブイかんせん》をテーマにした、「神様、もう少しだけ」（一九九八年放映）という衝撃《しょうげき》的なドラマで注目されて以降、数々のドラマと映画に出演されてきたと思います。そうしたなかで、「下妻《しもつま》物語」（映画・二〇〇四年公開）では、ロリータ系、お姫様《ひめさま》系を演じられたり、ＮＨＫ大河《たいが》ドラマの「天地人《てんちじん》」（二〇〇九年放映）では、淀君《よどぎみ》のシリアスな女傑《じょけつ》役を演じ切

2009年NHK大河ドラマ「天地人」では、秀吉の側室・淀君を演じた。

ドラマ「神様、もう少しだけ」(1998年放送／フジテレビ)ではHIVに感染した女子高生を演じて一気にブレイク。

られていました。

それで、最近、私が観《み》て、また衝撃を受けたのが、「ルームメイト」（二〇一三年公開）という映画です。この映画では、計り知れない狂気《きょうき》を忍《しの》ばせた、二面性を持つ女性を迫真《はくしん》の演技で演じられていたと思うのです。

やはり、こういったさまざまな役を、年齢《ねんれい》とともに重ねていかれている深田さんには、独特の「深《ふか》キョン流」というものが、私は、あるような感じがしたのです。

そして、その「深キョン流」というのが、「分かるようで分からない」というのが、観ている人たちの感覚だと思いますので、まず、「深キョン流」というものは、どのようなものなのかを、お話しいただければと思います。

映画「ルームメイト」（2013年公開／原作・今邑彩／東宝）では、多重人格の女性をホラー仕立てで演じた。

深田恭子守護霊　うーん、難しいなあ。まだねえ、勉強中なんですよ。まだ、いろいろな役柄《やくがら》に挑戦《ちょうせん》して、勉強してるところなんで、そんなに、「深キョン流」なる流派ができて、お教えできるようなものではないんです。

そんな大女優と違いますので。ずっと若手でもないけど、大女優でもないあたりなので、もっと大女優の方は、それなりに意見がおありでしょうが、私なんかは、まだ、役どころを頂ければ、とりあえず、やってのけるっていうところが精いっぱいなのでね。

たぶん、「神秘的」とか言っておられるのは、少し誤解されてるのかもしれないと思うんですが、そんなに大して美人でもないし、大してかわいくもないのを、かわいく見せようと努力してるところが……、まあ、そのへんの努力なのかなあと思うんですけどね。

だから、「しぐさ美人」とか、そんな感じなんじゃないかなと思うんですよね。そういうところが、ちょっとだけ違うところで、地《じ》がよければ、素《す》のままでいける方はたくさんいらっしゃるんでしょうけど、それだけでは十分じゃないと思うので、ちょっとしたしぐさや気配《きくば》りみたいなので、私らしさを出そうとしてるっていうところですかねえ。

三十代以降の「女優業の厳しさ」を語る

深田恭子守護霊　まあ、競争の激しい業界ですので、生き残るのも、そう簡単なことではありませんし、「主役でまだ使っていただいてるだけでもありがたい」っていうか、次々と、若いきれいな女性がたくさん出てくるので。先ほど、ご指摘《してき》もありましたように、もう、恋愛《れんあい》ものだけで生き延びられるかどうかは分からないので、少し難しいっていうか、難度が上がった演技ができないと、三十代に入ってからの女優が生き延びるのは大変かなあと。

また、四十代以降になったら、残るのがさらに難しくなっていくと思うんですよねえ。

だから、選ばれるのは一万人、二万人に一人でも、それで十年後、残ってる人になると、さらに、それは難しいっていうことになるし、もっともっと才能のある方も次々と出てきておられるので、もう私なんか必死で抵抗《ていこう》してるというところで、〝抵抗勢力〟ですね、業界のなかでは。

竹内　ただ、その抵抗に打ち勝てる方が、非常に少なく、みなさん挑戦するんですが、やはり、ファンや視聴者《しちょうしゃ》に飽《あ》きられてしまって、どんどん、人の入れ替《か》えが激しく行われるのが芸能界だと思うんです。

深田恭子守護霊　そうなんですよねえ。きれいな方がいっぱい出てくるでしょう?

竹内　ええ。でも、深田さんは、いろいろな方面の役柄にあえて手を出していかれてるように思うのですけれども、これは、ご自身のなかで、どのようなお考えがおありなのですか。

深田恭子守護霊　「手を出してる」と言えるのかなあ。だから、可憐《かれん》な役とか、まあ、若いうちはそうだったと思うんですが、可憐な役から、悪女でもできれば、キャリアウーマンもできて、いろいろな面をちょっと見せるみたいなところを、勉強しながらやっていかなきゃいけないっていう感じですかねえ。

岡田准一《おかだじゅんいち》さんの（霊言《れいげん》を）やられたんでしょう？　この前ねえ（『人間力の鍛《きた》え方――俳優・岡田准一の守護霊インタビュー――』〈幸福の科学出版刊〉参照）。

竹内　はい。やりました。

深田恭子守護霊　なんか、まあ、彼の気持ちにも、ちょっと通じてるかもしれませんが、「年齢相応に、難しい役に挑戦していけるような自分に変わっていかなきゃいけないのかなあ」っていうところですかねえ。

私たちの業界は、気がつけば、十年で忘れられていることがありますので、いやあ、これから厳しいですねえ。お母さん役とか、そういう中年女性の役なんか

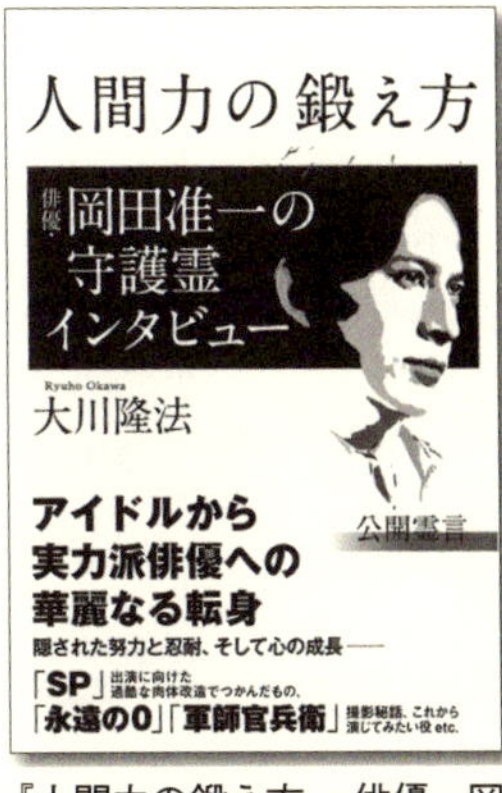

『人間力の鍛え方―俳優・岡田准一の守護霊インタビュー―』（幸福の科学出版）

もしなきゃいけなくなるんだろうなあと思って。もっともっと世間《せけん》を知らないと、厳しいですねえ。

「キムタク流」演技の「秘密」を解き明かす

竹内　深田さんの演技を見ていますと、他の女優と比べて格段に違うというわけではないのですけれども……。あっ、ごめんなさい、失礼な言い方をして（苦笑）。でも、何か、とても存在感があるんですよね。

それで、以前、木村拓哉《きむらたくや》さんの守護霊に訊《き》いたときに、「俺《おれ》は、演技は下手なんだけど、視線コントロールで……」（『俳優・木村拓哉の守護霊トーク「俺《オレ》が時代《トレンド》を創る理由《わけ》」』〔幸福の科学出版刊〕参照）。

『俳優・木村拓哉の守護霊トーク「俺が時代を創る理由」』（幸福の科学出版）

深田恭子守護霊　いや、それを言ったら〝怒《おこ》られ〟るんでしょう?

竹内　あっ、怒られますね(苦笑)。

深田恭子守護霊　なんか、週刊誌で〝怒られ〟てたんじゃないんですか?(注。某《ぼう》週刊誌で「霊言」を取り上げた記事のなかで、「(演技の秘訣《ひけつ》は)演技が下手なところだ」という木村拓哉守護霊の発言について、「キムタク本人が聞いたら怒りそうだ」という揶揄《やゆ》があったことを指すと思われる)

竹内　はい。木村拓哉さんの守護霊は、「視線をそらして、要は、見せるところだけを見せて、見せないところは見せない技術があるんだ」というようなことをおっしゃっていたのですが……。

深田恭子守護霊　うーん、まあ、それは謙遜《けんそん》でしょうね。

竹内　謙遜ですか（苦笑）。

深田恭子守護霊　たぶん、謙遜だと思います。全身で演技されてるんじゃないですか？　私はそう思いますけどね。

手を抜《ぬ》いてるように見せているところが、実は演技なんで、キムタクさんのは。手を抜いてるように、「何にも演技なんかしてないんだ」って見せてるところ、地でやってるように見せているのが、実は演技で。いかにも演技してるように演技をしてる人は、やっぱりまだ、かえって素人《しろうと》っぽくて、演技してないように、地でやってるように見えるのが、本当は名演技なんだろうと思うんですよね。謙遜だから、それは、まともに捉《とら》えてはいけないのかなあとは、私は思う……。

演技の秘訣《ひけつ》は「フカヒレ」と「プリン」?

竹内　では、そうしますと、深田さんは、ご自身としては、どのような演技をされているのですか。

深田恭子守護霊　うーん。私はねえ、基本的に、まあ、「フカヒレ」みたいなあれだと思って……(笑)。

竹内　「フカヒレ」?(笑)(会場笑)どういう意味ですか。

深田恭子守護霊　それは……（笑）。すみません。

なんか、みんな、ご飯《はん》を食べたら、すぐ満腹《まんぷく》しちゃうから、どんなドラマや映画を観ても、満足される方は多いんだと思うんだけど、まあ、「フカヒレ」……（笑）。こんなことを言うと、また、お笑いに使われちゃうかもしれないけども、「『せっかく食べるなら、ちょっと高級感がある珍味《ちんみ》を食べたい』みたいな感じのニーズを満《み》たしたい」っていう気持ちはあるんですよねえ。そんな感じ。

あと、質感とか、とろみとか、そんなようなものが残ったりするような、そんなことを、ちょっと、名前からイメージしてるんです。

まあ、出せてるかどうかは分かりませんけどねえ。

竹内　いや、確かに、深田さんって、独特で、ほかの人では替《か》えがきかないような演技をされている感じはするんですよ。確かに、「フカヒレ」のように、独特の存在感があるので……。

深田恭子守護霊　いや、あんまり言うと、「深キョン」の代わりに、「フカヒレ」って呼ばれるようになっちゃうといけないので、ちょっと、あれなんですけど……（笑）。

竹内　（笑）

深田恭子守護霊　まあ、ちょっとだけ、なんか、違いを出そうとは、思ってることは思っています。

だから、女性として見て、スタイルのいい方なんかも、もっともっと、たくさんいらっしゃいますので、それだけで勝負したんでは勝ち残れませんのでね。ちょっとした、何て言うのか、「フカヒレ」でイメージが悪ければ、「プリン」みたいな感じかなあ。
プリンなんかは、器《うつわ》に移して載《の》せたときに、プルプルッと揺《ゆ》れるじゃないですか。あの質感と、おいしそうな感じと、柔《やわ》らかい感じみたいなのが、プルプルッと揺れるじゃないですか。

武田　うーん。

深田恭子守護霊　ああいう感性を、肉体を通じて、ちょっと表現してるようなところがあるんです。ほかの女優には、姿そのものが、「マネキンみたいにしても美しい」っていう人がたくさんいらっしゃるけど、それには、ちょっと敵《かな》わないので。そういうんじゃなくて、プリンを出したときの、揺れながら出てくるような感じみたいな、あんな感じを出したいと思ってはいるんですよねえ。

「深キョン」の「深」が意味している別のものとは!?

武田　そのイメージは、確かにあるんですけれども……。

深田恭子守護霊　でしょ?

武田　ええ。それは、なぜ、「そうしたイメージにしよう」と決められたのですか?

深田恭子守護霊　いやあ、武器が、そんなに大してないもので。頭もよくなければ、演技も下手だし、武器が、もう大してないので、ちょっと腰《こし》を振《ふ》る（笑）とか、ちょっと手のしぐさがどうとか、ちょっと首をかしげるとかですね。ほんのちょっとしたところですが、これを「コケティッシュ（女性的な色気がある）」と言うのかもしれないけども、女性なんかでも、地顔や姿だけで勝負が十分できないような方は、やっぱり、「しぐさ美人」を目指すべきだとは、基本的には思うんですけどね。

男性は、まっとうな、正統な、八頭身美人みたいなのが好きな人も、一般《いっぱん》には多いですけども、そういうようなものじゃなくて、まあ、かわいい感じが好きだとか、しぐさが好きだとか、気配りが好きだとか、ちょっとしたところが好きとかいう人が、わりに多いんですよねえ。

例えば、宝石店とかであれば、宝石を箱に包んで、リボンをかけるときの指先の動きみたいなのが美しいとか、けっこう、こういうのは練習をかなりされてい

ドラマ「富豪刑事デラックス」（2006年放送／原作・筒井康隆／テレビ朝日・朝日放送）では、大富豪の孫娘が新人の刑事として天然ボケを発揮しながら、抜群の推理力で事件を解決する役。

ると思うし、ＣＡ（キャビン・アテンダント）みたいな方であれば、差し出すときの、やっぱり、ちょっとしたしぐさみたいなのが美しいかどうか、洗練されてるかどうかっていうところがある。まあ、それはお茶を出すんでも一緒《いっしょ》だと思いますけども、そうした、「しぐさ」って言うべきなんでしょうかねえ。

そういうところの美を開発して、生まれつき持ってる外見に、やっぱり、プラスアルファの付加価値を付けなきゃいけないかなあと。深キョンの「ふか」は、・・・付加価値の「ふか」かもしれませんね。

武田　「付加」なんですね（笑）。

深田恭子守護霊　ええ。

3　深田恭子が人知れず努力していることとは

自分の魅力《みりょく》を訊《き》かれ、「謙虚《けんきょ》」に応じる

斉藤　深田さんは、女性の目から見ても、「すごく好ましいな」と思われることが多くて、私も本当にそう思います。

先ほど言われたように、しぐさですとか、たくさんの努力をなされていると思うのですけれども、ドラマだと、観《み》ていても、「おっとりしているな」とか、「お姫様《ひめさま》だな」とか女性らしさを感じることが多くて、いい意味で、「頑張《がんば》りすぎていない」というように映させるところも、すごく、「魅力《みりょく》の一つなのかな」と……。

深田恭子守護霊　最近、頑張ってるんですけど（会場笑）、それを「頑張ってない」という……。

斉藤　いえ、続きがありまして……。

深田恭子守護霊　ああ。

斉藤　そこから、また、「大人の女性としての魅力を出す」というかたちで、新たな写真集も出されたり、ＣＡなどの、かっこいい役柄《やくがら》のほうにも移ってこられていると思うんですね。何か、そうしたところでの、ご自分の魅力については、どのように考えられているのでしょうか。

深田恭子守護霊　（斉藤に）同じ年頃《としごろ》ですかねえ。

斉藤　そうですね。一つ、後輩《こうはい》でございます。

深田恭子守護霊　ああ、そう。うーん、負けたわ（会場笑）。

斉藤　（苦笑）いえ、〝先輩〟として、非常に尊敬申し上げております。

深田恭子守護霊　女性の一歳《さい》は大きいですからねえ。あなたは、どういうふうに魅力を出しておられるんですか？

斉藤　ああ、そうですねえ（苦笑）。今は、「女性としての魅力というのは、どういうものかなあ」と勉強させていただいています。

深田恭子守護霊　秘書の方なんでしょ？　秘書の方でしたら、それはすごく大変なんじゃないですか？　特に、ここの総裁のような方は、お目が高いでしょうから、さぞかし大変なんじゃないかと思うんですけど、どんな努力をなされてるんでしょうかねえ。私のほうが勉強したいぐらいですけども、どうなんですか。

斉藤　そうですね、私《わたくし》も、自分なりには、勉強させていただいておりますけれども、今日は、ぜひ、深田恭子さんの守護霊インタビューということで……。

深田恭子守護霊　はあ、私のほう……。

武田　国民的女優さんから、ぜひ、私たちも学ばせていただきたいと思います。

深田恭子守護霊　「国民的女優」っていうのは、今、初めて聞きました（会場笑）。

武田　やはり、約二万人のなかから選ばれたところから、スタートされていますし……。

深田恭子守護霊　もう、そこで終わってるかもしれません。「宝くじは当てたら終わり」っていう

芸能界への登竜門として最も伝統のある新人発掘オーディション、ホリプロタレントスカウトキャラバン（上：2012年決勝大会の様子）。深田恭子は、中学2年生のとき、第21回PURE GIRLオーディションでグランプリを受賞し、芸能界入りした。

……。

武田　いや、大河《たいが》ドラマでもヒロインですし、映画も、やはり、ヒロインを続けていらっしゃいますよね。

深田恭子守護霊　でも、あとから攻《せ》めてくるものは、けっこう強いですよ、いろいろと、いろんな方が。

武田　ただ、これだけの期間、ずっとコツコツと映画やドラマに出続けていらっしゃって、それで、印象的ですよね。印象に残る女優さんだと思うんですよ。

2012年NHK大河ドラマ「平清盛」では、清盛の正室（継室）・時子を演じた。

深田恭子守護霊　うん。でも、今、違《ちが》う宗教団体のねえ、創価学会《そうかがっかい》系の女優さんなんかも、すごい力で押《お》してきますのでね。

武田　ああ、はい。

深田恭子守護霊　下からねえ、押し上げてきてますので、なかなか大変ですよ。固定ファンというか、多くの方に支持してもらうっていうのは、なかなか大変で、私も爆発《ばくはつ》的な人気が出るほどのタイプではないし、まあ、菅野美穂《かんのみほ》さんほど、やっぱり、多様な演技はまだできないでいるので、どこかで、その幅《はば》を広げなきゃいけないなあとは思っているんですけどねえ。

「実力派女優」に向け「修業《しゅぎょう》の決意」を語る

斉藤　先ほどのお話にもありましたけれども、「下妻《しもつま》物語」ですとか、例えば、「ヤッターマン」（映画・二〇〇九年公開）のドロンジョ様ですとか、そういった、きれいで押したいだけの普通《ふつう》の女優さんでしたら、少し躊躇《ちゅうちょ》してしまうような役を見事に演じのけてみせるというのも、女性から見ると、やはり、「すごく素敵《すてき》だな」と思うのですけれども。

深田恭子守護霊　うーん。参勤交代《さんきんこうたい》の映画（二

映画「下妻物語」（2004年公開／原作・嶽本野ばら）では、ロリータ・ファッションを愛する女子高生を演じ、3つの映画賞で主演女優賞を獲得した。

○一四年公開。「超《ちょう》高速！　参勤交代」）では、女《じょ》郎《ろう》の役でしたけど、やりたいですか？　そういうのって（笑）。

斉藤　でも、やはり、それを美しく演じのけてみせるところが、やはり、深田さんの魅力かなと……。

深田恭子守護霊　うーん。

竹内　「このタイミングで女郎の役をやる」というのも、また、「すごいな」と思いました。

アニメを実写化した映画「ヤッターマン」（2009年公開／原作・竜の子プロダクション）では、ドロンボー一味の女リーダー・ドロンジョを熱演。2つの映画賞で助演女優賞を受賞した。

深田恭子守護霊　不良の女郎ですよ？

竹内　いや、今の深田さんのキャリアのなかで、「今、この役を演じられるんだ」と、けっこうびっくりしました。やはり、すごく努力されているなと思いました。

ご自分の長所と短所を、よく分析《ぶんせき》されていて、バラエティーなどにテレビ出演しているのを観ますと、キャピキャピした女性に感じるのですが、意外に、実は、すごく繊細《せんさい》で、地道な努力をされている方のような感じを受けます。そのあたりは、いかがでしょうか。「けっこう、周りにも、努力する姿を見せない」と、エッセイには書かれていたと思うので……。

「超高速！　参勤交代」では飯盛女のお咲を熱演。

深田恭子守護霊　うーん、運に恵《めぐ》まれすぎていて、実力以上に使っていただいてるんですよ。そのご恩がありますので、「もうちょっと、どうにかしなきゃいけないなあ」っていう気持ちで、いつもいっぱいです。運がよすぎて、いろいろなものに使っていただいてるんですけど、「もうちょっと、『実力派』と言われるためには、修業《しゅぎょう》を積まなきゃいけないんじゃないかなあ」と思うところが、とても多いですねえ。

ちょっと運がよすぎて、役どころをいろいろ頂いてるんですけど、本当はいろいろなものを演じ分けられるほど、うまくなくて。「ちょっと、かわいい」っていう感じのあれも、まあ、一定の年齢《ねんれい》を超《こ》えた場合は難しくなってくるだろうから、これからは難しいですよねえ。

吉永小百合《よしながさゆり》さんみたいに、もう七十近くになっても、まだ女性らしさが残ってるような演技ができる女性になるのは、難度が高いと思いますねえ。あのくらいまで行くには、一万倍は努力が要《い》るような気がしてなりません。

だから、これからが正念場《しょうねんば》っていうか、生き残れるかどうかが、かかってるような気がしますので、そうした、ちょっとした汚《よご》れ役っていうか、ちょっと悪女の役とか、突《つ》っ張《ぱ》った役とか、ちょっと性格が変な役とか、いろいろなものでもチャレンジして、やってのけなければいけないのかなあと思います。

でも、基本的には、どちらかというと、私も、まあ、幸福の科学さんに、こういうことを申し上げるのは、とても口幅《くちはば》ったいとは思うんですけども、幸福の科学さんにいても、おかしくないぐらい、いちおう、もともとは品行方正《ひんこうほうせい》なタイプの人間でありますので、それを、かたちを崩《くず》して、役でやれるかどうか、自分に経験がない役がやれるかどうかっていうところは、なかなか難しいですね。今は、やっぱりライバルが多いです。

竹内　（笑）（会場笑）

深田恭子守護霊　とっても多いですし、年が、ほんの二、三歳でも、四、五歳でも下だと、けっこう厳しいなあと。主役を取られそうな感じは、やっぱりするので、ここで何か、もう一つ知恵《ちえ》をつけないといけないなあと思ってます。

深田恭子守護霊が予想する女優としての「次の課題」

竹内　おそらく、この霊言《れいげん》が書籍《しょせき》化されるときには、深田さん本人もご覧になると思うのですけれども……。

深田恭子守護霊　はい。

竹内　「次に、深田さんはどういうステージに上がっていく」というように、守護霊様は見ていらっしゃいますか。

深田恭子守護霊　だから、流れ的には、今、安倍《あべ》さんの政権でね、「女性を、もうちょっと、社会的に活躍させよう」という方針を政府は出しておられますけど、そういう流れのなかで活躍する女性のような役柄が、たぶん多くなってくるのかなあというような読みはしてます。

でも、「男性に代わってやれる」というだけではなくて、やはり、そのなかにどこか女性的なものを残したかたちでの役をやりたいなあと。「男性に成り代われる女性」っていうだけでは、やっぱり、いけないんじゃないかなあと思うし。

ただ、アンジェリーナ・ジョリーみたいに、「美しい女性もできるけど、ちょっとしたスパイものもできる」というほどのアクション女優まではちょっと行かない。ちょっとこれは無理があるので、それは、行けないだろうとは思うので、うーん、厳しいですよね。

まあ、上戸彩《うえとあや》さんあたりも、かなり厳しいと思うんです。競争は、厳しく挑《いど》んできてるような感じはするし、それから、あの人の後輩の方もねえ、最近よく出て、よく売れてるじゃないですか。「清盛《きよもり》」じゃなかったでしたっけねえ（注。実際は、二〇〇五年・NHK大河ドラマの「義経《よしつね》」）。

竹内・斉藤　石原《いしはら》さとみさん？

深田恭子守護霊　あっ、石原さとみさんとかもね。なかなか、このへんの追い上げも、厳しい感じはしますよねえ。

武田 うーん。

深田恭子守護霊 見た感じの「かわいさ」っていうだけだったら、やっぱり、これは年齢的に、とうてい勝てない感じはありますしねえ。

だから、彼女らができない役を、やっぱりやってのけないといけないっていう意味では、ある程度、キャリアのある女性なんかの役ができないといけないのかなあ。何かの特殊《とくしゅ》な技能を持ってる役とか、そのへんのところですかねえ。

それと、人間関係の難しいところを演じ分けるような技能が要《い》るのかなあという感じがして、単線的な役ではちょっと無理なのかなあと思うし。まあ、女優として見たら、「HERO《ヒーロー》」（ドラマ・二〇〇一年放映）でやってた松《まつ》たか子さんだとか、あるいは、「ガリレオ」（ドラマ 第1シーズン・二〇〇七年放映）で出てた柴咲《しばさき》コウさんとか、ああいう感じの、ちょっと〝跳《は》ね返って〟男性に突っかかるようなタイプの役で、けっこううまくいってる方もいるけど、ああいうタイプでは、自分はもたない感じはするので、ああいうふうには十分になり切れないし。吉高由里子《よしたかゆりこ》さんも追い上げが激しいですね、最近。

竹内　（笑）

深田恭子守護霊　だから、私よりも、あっちをやったほうが人気が出るかもしれないような感じはちょっとしますし、いい女優さんが、たくさん次から次へと出てくるので、生き残るのは大変ねえ、本当に。もう、結婚《けっこん》でもしたほうがいいのかも。

武田　いえ、いえ、いえ。頑張っていただきたいと思います。

深田恭子守護霊が語る「深キョン流」勉強法

竹内　そうしたなかで、深田さんは、すごく努力されていると思うのですけれども、具体的に、どのような精進をしていらっしゃいますか。

例えば、技術ということにおいては、やはり、岡田准一《おかだじゅんいち》さんも、そうとう磨《みが》きをかけていらっしゃいましたけれども（前掲《ぜんけい》『人間力の鍛《きた》え方』参照）、今、言われた、経験のない範囲《はんい》を演じるとか、難しい人間関係を演じるとか、そういった役ができるようになるには、どのような女優としての磨き方をすればよいのでしょうか。

深田恭子守護霊　うーん、まあ、若いうちは、かわいいだけで十分やれるんだと思うんですけどね。こちらの〝あれ〟に合わせて、周《まわ》りが役柄をつくってくれるのが、だんだん、年齢がいきますと、やっぱり、「こういうのを演じてみてくれ」みたいな感じのも課題になってくるんですよね。

だから、「ちょっと難しいけど、こういう役をやれるかい？」みたいな感じで来るので、それを勇気を持って受けて、「やります！」と言えるかどうかのところなんですよね。「自分にハマってない」と思って逃《に》げるか、受けるか。「失敗するかもしれない」という気持ちでやれるかどうか、このへんのところですね。

やっぱり、ほかの人の演技とか、作品とかを観ながら勉強することが、いちばん多いですけどね。

例えば、「大奥《おおおく》」（二〇一〇年・二〇一二年公開の映画、二〇一二年放映のドラマ等）だったら、「私で、できるだろうか」とかいうようなシミュレーションを自分でしてみて、「どういうふうに演じるだろうか」とかですねえ、「あのへんの権《けん》威《い》みたいなのが出せるかなあ、どうかなあ」とか、そんなことを考えてみるし、やっぱり、ほかの人の演技や作品を観て、勉強することのほうが、もちろんいちばん多いことは多いです。

それ以外に、まあ、今後のことを考えると、いろいろな職業の役柄ができなきゃいけないので、やっぱり、世の中の勉強っていうことが、とても多くなりますねえ。

だから、それは、もちろん、小説を読んだりすることもあるし、映画を観ることもあるし、それから、いろいろな方々とお話をすることで勉強することもあるし、旅行して経験することもあるし、まあ、いろいろやるんですが、「いやあ、勉強の時代に入ったんだなあ」って、つくづく、今、思います。

映画「大奥～永遠～［右衛門佐・綱吉篇］」(2012年公開／原作・よしながふみ／松竹)

「まだ、千里《せんり》の道の十里ぐらいしか行ってないなあ」

深田恭子守護霊　まあ、十年後は、私が残ってるかどうかはやっぱり分からないので、今、本を出していただくのは、たいへん光栄ですが、これで、一年後はもう絶版になって、「そういう女優さん、いたっけ」って言われることは、十分ありえる世界なんですよ。

武田・竹内　うーん。

深田恭子守護霊　だから、怖《こわ》い怖い世界で、各人、勉強はしてるんですけど、まあ、養成スクールみたいなところで訓練してるときは別として、独立してやり始めると、もう、個人個人の勉強をどういうふうにやってるかの、その、いちばんの旨《うま》みのところは、みんな、そう簡単に見せてはくれないので。

それをたくさん教えてくれるようになるっていうのは、もう大家《たいか》っていうか、大物《おおもの》で確立した人になったら、「私は、こういうことをやってます」みたいなことは言えるんですけどねえ。

吉永小百合《よしながさゆり》さんみたいな方だったら、「プールで二キロも泳いでる」とかねえ。「そんなことができるのか。若さの秘訣《ひけつ》は、そんなところにあるのか」みたいなことを言っても、特に、値打ちが落ちるわけでもないし、言っても、ほかにまねができるわけでもないよねえ。毎日二キロ泳いだりなんか、できませんもんねえ。

だから、言っても、できるわけでもないので、「まだまだ、道のりは遠いなあ」っていう感じ。千里《せんり》の道のうちでいくと、今、十里ぐらいかな。そのくらいしか行ってないなあ。

「美しさ」を磨《みが》くための方法とは

竹内　深田さんのその「美しさ」は、どのようにして磨《みが》かれたのですか。

深田恭子守護霊　ああ、「美しさ」って言ってくださり、ありがとうございます。あなた様のほうがよっぽど美しいような感じは……。

竹内　いえ、そんなことは全然ないですけれども。

武田　男性ですから（笑）。

深田恭子守護霊　ああ、そうですかあ。

竹内　それで、どのように美しさを……。

深田恭子守護霊　いやあ、そんなに美しくない。普通なんだと思うんです。たぶん、メイクもしないで、派手でもない服を着て、あるいは、女子高生のセーラー服を着て歩いたら、分からないかも……（笑）。原宿辺《はらじゅくへん》を歩いてたら分からないかもしれないような気がするので、美しさっていうのはないんですけど。

まあ、「美しく見てもらおうと思ってる」っていうことですかねえ。

竹内　「思っている」ということですか。

深田恭子守護霊　うーん。「『できるだけ、そういうふうに思われよう』と思っている」っていうこと。

武田　それは、普通の女性もそのように考えていると思うんですが。

深田恭子守護霊　あ、そうなんですか。（斉藤に）思っていらっしゃいますか。

斉藤　できれば、そうしたいと思っております。

深田恭子守護霊　ああ、そうなんですか。ああ、そうですか。

武田　深田さんは、デビューされてから二十年近くたちますが、変わらずに、すごく素敵《すてき》な容姿をされているので、普通の人にはできない努力をされているのではないかと思うんですが、このあたりの秘密は……。

深田恭子守護霊　でも、昨日、「超高速！参勤交代」を、なんか大川さんがご覧になって、終わったあとに、「目尻《めじり》にシワが出てたね」と一言《ひとこと》おっしゃっていたというのを、ちょっと聞きました。

武田　（笑）あれは、メイクなのではないですか。

深田恭子守護霊　ああ、そうなんですかねえ。

武田　どうなんでしょうね。

深田恭子守護霊　どうなんですかねえ。隠《かく》せない部分がやっぱりあるのかなあ（笑）（会場笑）。厳しいですねえ。この一言は、〝女優殺し〟になる一言ですから、まあ、十分怖い観察ですね。

コマーシャルでの「人魚役」について訊《き》く

武田　現在も、ポカリスエットのコマーシャルでは、人魚の役をされていて、非常にお美しく……。

竹内　（人魚姿の深田恭子の写真を見せる）（笑）

武田　そうです、そうです。こういう感じで、今、国民の心を潤《うるお》しておられますので。

深田恭子守護霊　うーん。写真は今、修正が利《き》く時代に入りましたので、頑張っていろいろ技術を磨いていらっしゃるんだろうと思いますが。私が人魚ねえ、なるほどねえ。あのボテッとした感じが合ってるんじゃないでしょうか（会場笑）。

武田　ただ、「かわいくありたい」というだけでは、そうはならないと思うんですよね。何か、その秘訣でもあるのですか。

2014年ポカリスエット イオンウォーター（大塚製薬）のCMでは、人魚にも扮した。

深田恭子守護霊　うーん……。そうですねえ、まあ……。

武田　今、流行《はや》りのアンチエイジングとか、何か……。

深田恭子守護霊　いや、まだ、そのアンチエイジングを考えているほどの歳《とし》ではないんですが（会場笑）。

武田　そうですね。失礼しました。

深田恭子守護霊　まあ、もうちょっとしたら考えようと思ってるんですが、まだ、そこまでは考えてはいないんですけど（笑）。

武田　たいへん失礼しました。

難しい役にできるだけ挑戦《ちょうせん》して「幅《はば》」を広げたい

深田恭子守護霊　アンチエイジング……。

ただ、どっかで恋愛《れんあい》ものができなくなる年齢っていうのがある可能性が……。恋愛役、恋愛ものの主演を張れなくなる年齢が来る可能性はあるので、それは怖いですよね。

まあ、ペ・ヨンジュンと、チェ・ジウさんが出たような、あの（ドラマ「冬のソナタ」の）チェ・ジウさんの役みたいなのは、できなくなる年齢が来る可能性があるので、やっぱり、そのときは職業的なもので活躍してるようなものをやらなきゃいけないと思う。

今の心境で言えば、羽田《はねだ》の管制官もやりましたし、社会福祉《ふくし》で老人の面倒《めんどう》を見る役もしましたが、まあ、この流れで突っ込《こ》んでいけば、消防士の役でも、何でもやるかもしれないし、まあ、ＳＰの役なんか出られるかしらねえ。やっぱり、体の鍛え方が……、骨折れちゃうかしらねえ。できないかなあ。

まあ、できるだけ、難しい役に挑戦《ちょうせん》して幅《はば》を広げて、「この人は、こういう使い方もできるんだ」っていうふうに見られたいですね。

ちょうど三十を超えたところですので、例えば、「るろうに剣心《けんしん》」みたいなので出て、女優として守ってもらうだけの役では、もう許してくれない感じなんですよね。そういう感じに……。

うーん。守ってもらうだけの役では駄目《だめ》で、何か一枚嚙《か》んで、例えば、何か難しいものに絡《から》まなきゃいけない。そういう立場に、もう、なってきつつはあるのでねえ。

4　深田恭子の「神秘力」の核心《かくしん》に迫《せま》る

〝乗《の》り移《うつ》り型《がた》〟で霊《れい》体質になりやすいタイプ

竹内　深田さんが二十歳《はたち》ぐらいのときに役柄《やくがら》を変えて、いろいろな役を演じようとされたときがあったようですが、そのときに、「何も考えないでやっていると、けっこう、その役に入り込《こ》める」ということをおっしゃっていました。

今日、お話をお伺《うかが》いしていて、実は「神秘的な力」をすごく引いているからこそ、ずっと若く美しい独特の存在感を出しているのではないかと。

深田恭子守護霊　うーん。何か、（竹内の）時計が気になって、ずーっと、見てるんですけど。

竹内　ああ、そうですか。ありがとうございます（笑）。これは、普通《ふつう》の時計なんですけれども……。

深田恭子守護霊　ええ。うーん。

竹内　深田さんは、仕事で海に行かれたときに素潜《すもぐ》りをされたらしいんですね。

深田恭子守護霊　はあ……（ため息）。

竹内　そのときに、「自分は前世《ぜんせ》がイルカだった」ということを確信したらしいと。

深田恭子守護霊　（笑）

竹内　「海と一体となって涙《なみだ》が出るぐらいうれしい」とおっしゃっていたらしいと聞きました。

今日も、自分をフカヒレにたとえたので（笑）、すごく水や海などに関係がある気もしますし、「前世がイルカ」ということを確信的に言っている人はあまり聞いたことがないので、それは、どういう意味なのかをお訊《き》きするところから、神秘的な話を始めていけたらと思うのですが、いかがでしょうか。

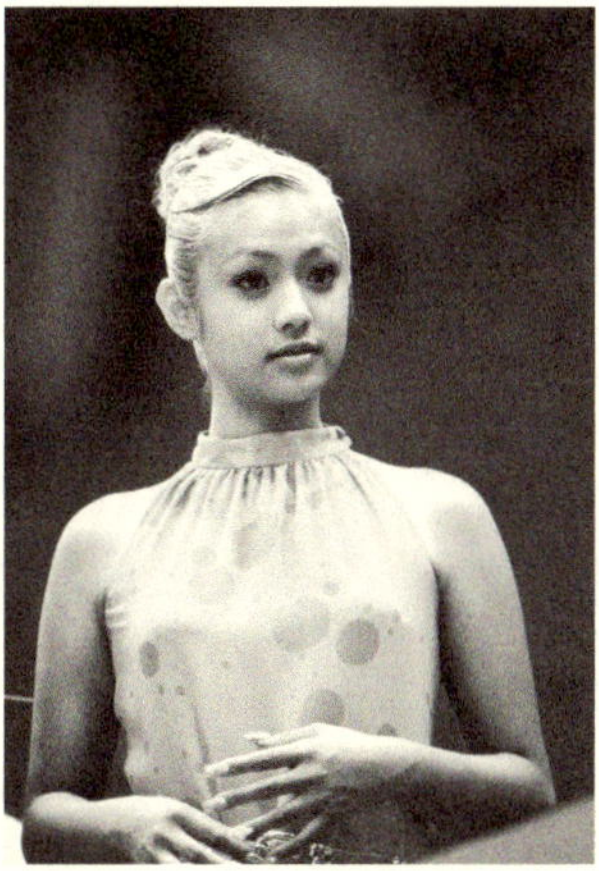

2歳から水泳を始めた深田恭子は、一時期オリンピックを目指したこともあるほどの水泳好きとして知られる。2001年世界水泳選手権の開会式では、水の妖精をイメージしたドレス姿でパフォーマンスを行った。

深田恭子守護霊　うーん。まあ、宗教だから、そういう質問もあろうかなあとは思ってはおりましたけども。

私もちょっとは〝乗《の》り移《うつ》り型《がた》〟ではあるので、役柄によっては、その役のものが乗り移ってくる感じはあるんですよねえ。まだ十分うまく演じられないで、深キョンのままなんではありますけれども、ちょっと乗り移ってくる感じを受けているので。

体質的に白くて丸ポチャッとしたタイプっていうのは、「神降《かみお》ろし」をしやすいタイプなんですよねえ。

だから、霊《れい》体質になりやすいタイプなので、大川先生のご本なんかは、「あまり勉強すると、ほんとに霊能者になっちゃうんじゃないか」っていう気がしちゃいますねえ。こんなインタビューの本が出たら、次は霊能者役かなんかに登場したりして（笑）、「女霊能師、女霊媒師《れいばいし》○○」とかいうふうな、そんなのが出てきちゃったりするかもしれない。

あるいは、超能力捜査官《ちょうのうりょくそうさかん》みたいな役とか、そんなのが回ってくるかもしれないですねえ。ちょっと色が付いたとしたら、そんな感じのものが回ってきても、別に構わないです。ウェルカムですから、構わないし。

私のような感じだったら、水晶玉《すいしょうだま》を見ながら、「何が視《み》えます」みたいな役もできないことはないかなとは思うんですけどねえ。

どのような「霊界《れいかい》」に住んでいるのか

竹内　それで、イルカは……。

深田恭子守護霊　イルカ……（笑）、イルカで来ましたかあ。

竹内　イルカとは、どういう関係なんですか。

深田恭子守護霊　困ったですねえ。「イルカです」と言うわけにもいかないでしょう?

竹内　何か記憶《きおく》があられるのですか。やはり、そういう霊界《れいかい》のほうと……。

深田恭子守護霊　うーん。水のなかに長くいたような感じは、ちょっとだけありますねえ。確かにね、水には縁《えん》があるような気はします。

斉藤　ポカリスエットのＣＭでの人魚のお姿は、すごくお似合いだと思ったんですけれども。

深田恭子守護霊　（笑）やっぱり、そういう、なんかを付けないと、ちょっと合わないもんで。参ったなあ。だから、〝プリン感覚〟なんですよ、私の魅力《みりょく》は。プリ・・・・・・・・ンプリンした感覚なので、それに使えるかどうかっていうところなんですけど。

竹内　普段は、「水」に関係がある霊界と霊的パイプを持ちながら、何らかのエネルギーというか、神秘的な力を引いてきていると思うんですが。

深田恭子守護霊　うーん……。そりゃあ、水も関係はありますけど。

竹内　どのような水の世界のパワーを使われているんですか。

深田恭子守護霊　まあ、水も関係がある場合もあるけど、山にも関係があるし、森にも関係はあるし、いろんなところに関係はあるので、特別、水でなければいけない理由はないんで。

まあ、なんか、「竜宮界《りゅうぐうかい》に関係があるか」っていうような感じで訊きたいのかなあと思いますけれども。その場合は、深田をやめて、〝深海《ふかうみ》キョン子〟にしないといけないんですけどねえ（会場笑）。

まあ、もうちょっと一般《いっぱん》的な存在かもしれませんけどもねえ、どちらかといえば。

（胸元《むなもと》のフェアリーのかたちをしたブローチに触《ふ》

美しい海辺や湖など、水に縁のある霊界として、心清らかな魂が住む竜宮界がある。ファッションや芸能、舞踊等、美を追求する人間にインスピレーションを与えており、この世界から地上に生まれ変わった魂は自らそうした仕事に就くことも多い。（『竜宮界の秘密』〔幸福の科学出版〕参照）

れて）今日はなんか、フェアリーをされてるんですねえ。この方（大川）ねえ。

武田　そうですね。

深田恭子守護霊　フェアリーなんかは憧《あこが》れますね、確かにねえ。こちらは水じゃなくて空ですよねえ。空を飛ぶほうですけど。

武田　守護霊様は、普段、どういった世界にいらっしゃるんですか。

深田恭子守護霊　まあ、比較《ひかく》的、「女神《めがみ》様の世界」に近いと思う。というか、女神様が多いように思いますけど、周りは。女神さんが多いような気がします。

武田　どんな系統の女神様がいらっしゃるのでしょう?

深田恭子守護霊　うーん……。今は、どんな……。

武田　芸能系ですか。

深田恭子守護霊　うーん、(竹内を指して) こんな系統の感じ。

武田　深田さんから見ますと、この方(竹内)は、どんな系統に見えるんですか。

深田恭子守護霊　だから、女神さんがいるような感じがします。

武田　女神さん？　美の女神？（注。質問者の竹内は、以前のリーディングで、過去世《かこぜ》の一人が、古代ギリシャに実在した美の女神アフロディーテであったことが判明している。『エロスが語る アフロディーテの真実』〔幸福の科学出版刊〕参照）

深田恭子守護霊　うんうん。そちら側のほうのお仲間が多いような感じがしてます。だから、「特にイルカの仲間ばかりがいる」っていう感じよりは、イルカと戯《たわむ》れても構わないけども、いわゆる女神様がたくさんいるような気はしますので。

「美の世界」を維持《いじ》し、紡《つむ》いでいきたい

竹内　そういった女神の世界にいる、深田さんの考える「美しさの基準」という

美の女神アフロディーテは英雄ヘルメス（本書P.139）の妻。（映画「ヘルメス――愛は風の如く」〔製作総指揮・大川隆法〕から）

のは、どういったものでしょうか。

深田恭子守護霊　うーん、神様に訊《き》かないと、何を美しいとしておられるのかは、私にはよくは分からないんですけれども。ただ、世の中に潤《うるお》いを与《あた》えようとしておられるのかなとは思ってるんですよ。

だから、殺伐《さつばつ》とした世界というか、人情も薄《うす》れて砂漠《さばく》化していく感じの都会にどんどんなっているじゃないですか。そのなかで、「心の潤いから、世界の美しさを輝《かがや》かせたい」っていうふうな願いが、美になってるんじゃないかなあと思うんですよねえ。

まあ、「くノ一《いち》をやれ」と言えばやりますけども、ただ、「男性に成り代《か》われ」というつもりでやる気はないので。やっぱり、「あくまでも女性らしさというのを生かしながら、美の世界を維持《いじ》していきたいなあ。紡《つむ》いでいきたいなあ」というふうには思っています。

だから、これは難しい口頭試問《こうとうしもん》です。「女神とは何か」「女神の使命とは何か」、あるいは、「女神が携《たずさ》えている仕事の一つとしての美の実現、美の顕現《けんげん》とは何なのか」っていうことになりますと、かなり難しい試験になるのでね。

まあ、芸能界には、そういう役割も一部というか、かなりあるんだろうとは思うんです。美しい人はたくさんいらっしゃるけども、そのなかで淘汰《とうた》されていって、「いったい、何が多くの人の心をつかまえていくのか」っていうところが、最後まで残ってくるのかなあ。

あと、私は、運命とか神秘力のようなものを、とても感じるので。運命は信じるし、神秘的な力をすごく信じてるので、そういう、何て言うか、神様や天使たちの霊力《れいりょく》みたいなものを、できるだけ「気《き》」として吸い込《こ》んで、表していきたいなあというふうには思っているのです。

ですから、「できるだけ神秘的な女優であり続けたいなあ」という気持ちを持っていますけどねえ。

「泥沼《どろぬま》のなかの蓮《はす》の花」のような女優に

竹内　芸能界では信仰心《しんこうしん》のある女優もいらっしゃって、美の世界の光を受けて、多くの人に神の美しさを伝えていきたいと思っていると思います。

そういう方々が、「演技力」を持ちながら、「神秘の力」を宿した演技をするためには、どのようなことを心掛《こころが》けていけばよいのでしょうか。そのあたりについてのアドバイスを頂けないでしょうか。

深田恭子守護霊　まあ、勉強中なので、どうも難しくて、言いかねるんですけど、今、社会悪とか世の中を悪くしていく力も働いていると思うんですよね。そういうもののなかに、地面からほとばしり出る一条《いちじょう》の「神の光」のようなものかなあ。そういうものを表現できたらいいなあと、いつも思ってるんですよねえ。

やっぱり、気をつけないと、社会はほんとに悪い方向によどんでいきそうな気がしてしかたがないので、その泥沼《どろぬま》のなかの蓮《はす》の花のような女優になれたらいいなあと、つくづく思っているんですけどもねえ。

まあ、ほかの人にアドバイスできるようなものは何もないんですけど、例えば、映画とか、ドラマとかでも暴力ものやアクションもの、殺人ものはたくさんありますし、それが、実際、気晴《きば》らしになって、みんな、そういう犯罪に走らないで済んでる面もあるから、それはそれでいいんだとは思うんですが、単に残酷《ざんこく》なだけではいけないところもあると思うので。

そのなかに〝人間としてキラリと光るもの〟というか、人間性というか、あるいは、人間のなかに宿《やど》る〝神様の御心《おこころ》の片鱗《へんりん》のようなもの〟が、どこかでチラッと、キラッと鱗《うろこ》のように光るものがないといけないんじゃないかなあ。「単なる殺し屋とか、暴力ものとか、犯罪ものとかに出演して満足するような自分であったらいけないな」という気持ちは持ってます。

今、そういうのが流行《はや》ってるのは知ってますけどね。そういう激しい暴力ものや、そういう犯罪もの等は、非常に面白《おもしろ》いから、みんな、観《み》てくださってるし、私もサスペンスみたいなものに出ることもありますけど、そのなかにあって、人を和《なご》ませるものが欲《ほ》しい。

それが上手に表現できないときは、何て言いますか、ちょっと間《ま》の抜《ぬ》けた役でもいいから、場を和ませるような役でもできたらいいかなあという意味で、多少、そうしたボケ役みたいなものにも挑戦《ちょうせん》はしているつもりです。

5　守護霊が考える、深田恭子のキャリアプラン

現代の「芸能界」と「女神《めがみ》」とのかかわり

竹内　守護霊様からご覧になって、現代では、女神《めがみ》界の方々は、芸能界に対して、どのような関係性を持っていらっしゃると思われますか。

深田恭子守護霊　現代は、非常に身分制がない世界になりましたのでね。昔であれば、お姫様《ひめさま》とかに生まれれば簡単で、女神界の体現にはなりやすかったと思うんですが、今は民主主義の時代だし、みんなに権利がある時代にはなっていて、競争も……。まあ、例えば、スターになるのでも、「二万人のなかから

選ばれるような、そういう幸運に恵《めぐ》まれて初めて、そのあと、いろいろな試練にさらされる」というぐらいの厳しさになってるので……。

みんなにチャンスがあるから、今は、女神といえども、そう簡単に、女神の役をやらせてもらえない時代なのではないかと思うんですよね。

まあ、刀で斬《き》り合っていた時代は、刀が使えればよかったんでしょうけど、今は、そういう時代でもなくなってきましたし、勉強なんかができることも、たいへん重要になってきました。

だけど、「勉強ができるということと女神の条件とが、どう関係するか」っていうことになると、難しいところがありますね。

まあ、剣術修行《けんじゅつしゅぎょう》と同じで、勉強ができることは、男性と張り合うための武器にも十分なりえるものだと思うんですけどね。

今、役柄《やくがら》のなかに探《さぐ》っているものとは

深田恭子守護霊　ただ、私は、どちらかというと保守的な考え方を持ってるので。「男女は、似たような仕事をしても構わないけれども、決して、お互《たが》いに食い合ってはいけない」っていう気持ちを持ってるんですよ。

だから、女医さんの役をやっても構わないけど、「男性の医者よりも、はるかに優《すぐ》れた女医さんで……」というような、男性を斬り倒《たお》していくような役がしたいわけではないんです。

今の気持ちとしては、「『女性だけど、厳しい試練のなかで、すごく頑張《がんば》っているなあ』という感じの役でやりたい」っていう気持ちかな。

これは、まだ、悟《さと》りが進んでいないのかもしれませんけどもね。

もっと強くなると、女性がリーダーになり、男性を使って動かせるような感じ

になるのかもしれませんが、今は、与《あた》えられている役柄《やくがら》以上のことをやろうとする女性みたいな、そのへんのところに挑戦《ちょうせん》中です。あるいは、与えられた役柄を超《こ》えて、プラスアルファのサービスをする女性っていうか……。

要するに、リーダーになりうる女性の可能性のようなものを、一生懸命《いっしょうけんめい》、探《さぐ》ってるところなんです。

もう少ししたら、本当に、リーダーとしての女性の役ができなきゃいけないわけで、「自分が五十代になったときに、はたして、女性の総理大臣の役ができるだろうか」っていうようなことを想像したりすることもあるんですけれども……。

武田　おお！

深田恭子守護霊　やっぱり、「そう簡単ではないだろうなあ。もっともっと、いろいろな勉強をしないと、そんなに簡単にはできないだろうなあ」と思います。

これから増えてくるのは「危機管理的な役」

斉藤　「サイレント・プア」というドラマでは、「難しい問題に切り込《こ》んで、主張しつつも、深田さんの柔《やわ》らかさによって、あまりシリアスになりすぎず、うまく社会問題を捉《とら》えられるドラマになっている」というように分析《ぶんせき》している方もいらっしゃいます。

また、「女性の総理大臣の役ができるのかと想像することもある」とおっしゃいましたけれども、守護霊様のいらっしゃる世界からご覧になって、今の政治・経済の世界というのは、どのように見えますでしょうか。

深田恭子守護霊　うーん。まだまだ勉強が難しくて、そんなに簡単には、とても分からないです。政治家にインタビューするニュースキャスターの女性たちみたいなインテリジェンス（知性）とか、ああいうものは、まだ十分に備わっていませんし、勉強もできていないので、「そうした、完全な硬派《こうは》番組でズバッとはまるか」って言われると、なかなか、そう簡単にはできないなあと思います。今、トライ中ですけどね。

武田　そうですか。

深田恭子守護霊　まあ、部分的にですけども、航空管制官みたいに、英語をしゃべって誘導《ゆうどう》したりするような、そういう、スリルがあったり、チャレンジ精神や判断力が試《ため》されたりするような役割とかも演じてますが、この延長上で言えば、そうした、「危機管理などを判断するような女性のポスト」という仕事も出てくるだろうとは思います。

当然ながら、警察みたいなところとか、もしかしたら、自衛官みたいなものもあるかもしれませんが、今後、幾《いく》つか、そういう危機管理的なことをする役は出てくるだろうなあと思うんですけどね。

ただ、知性の裏付けが必要でしょうから、忙《いそが》しさに紛《まぎ》れてると、この部分がなかなか十分にできないし、勉強しすぎると、今度は女性としてのかわいらしさが消えていく面もあるので、そのへんが難しいところですね。

ドラマ「TOKYOエアポート～東京空港管制保安部～」(2012年放送／フジテレビ)では、新人の管制官役。人命と隣り合わせの厳しい仕事のなかで失敗を経験しながら成長していくドラマ。

武田　難しいですね。

深田恭子守護霊　だけども、隙《すき》を見せたら、「結婚《けっこん》して、一丁《いっちょう》、上がってしまえ」というふうに言われそうで……。そういう恐《おそ》れも感じていますから、すごく厳しいなあと思います。

斉藤　これからも、そういった、社会派の方向に勉強を進めていきたいという希望はありますか。

深田恭子守護霊　でも、ときどき、ラブロマンスみたいなのだけで、最初から最後まで演じられたら素敵《すてき》だなあと思いますね。

四十代でもラブロマンスができて、主役を張れたら、やっぱり、それは素敵だなあと思いますけど、そこまで自分のメンテナンスを続けられるかどうかは、まだ、ちょっと自信が十分ではありません。

「超《ちょう》高速！　参勤交代《さんきんこうたい》」「サイレント・プア」が描いたもの

竹内　ＮＨＫドラマ「サイレント・プア」では、「貧困《ひんこん》者を救済するコミュニティ・ソーシャルワーカー」を演じられていました。

ただ、この番組には、「若干《じゃっかん》、ＮＨＫの左《さ》翼《よく》的な考え方も反映されている」という見方もあると思うのですけれども、深田さんは、この番組のコンセプトについて、どのように考えているのでしょうか。

ドラマ「サイレント・プア」(2014年放送／NHK)では、コミュニティ・ソーシャルワーカーの仕事のなかで出会う社会的弱者が抱えるさまざまな問題に奔走する。

深田恭子守護霊　それは、男性的な「政治・経済が分かる目」がないと分からない質問なのかなあとは思うんですけど。トレンドとして、そういう、弱者《じゃくしゃ》とか、高齢《こうれい》層の方とかを助けなきゃいけないというニーズ自体はあるのかなあと思っているし……。

竹内　ええ。

深田恭子守護霊　参勤交代《さんきんこうたい》の話（映画「超《ちょう》高速！　参勤交代」）もありましたが、あれは、福島《ふくしま》の辺りを舞台《ぶたい》にしています。「貧困な藩《はん》にもかかわらず、藩に帰ったばっかりなのに、もう一度、参勤交代を命じられる」「『本当は金山《きんざん》があるんだろう』というような疑いをかけられて、無理難題を言われ、お金も人もないなかで、超高速で江戸《えど》まで行かなきゃいけない」みたいな、そういうお話でしたけど、あれには、ある意味でのパロディが入っているんだと思うんですよ。

要するに、「福島の復興《ふっこう》が進んでいないのに、東京に象徴《しょうちょう》される幕府は、いい思いをして、贅沢《ぜいたく》をして、無理難題を言ってくる。だけど、実は、郡山《こおりやま》やいわきのほうは、まだ復興ができていないので、貧しい」ということです。

また、「いい大根《だいこん》をつくるには、いい土が必要だ」みたいな話は、放射能汚染《おせん》の話とも絡《から》んでいるんだと思います。

つまり、この映画は、「いい土で、いい大根ができるということに幸せを感じる東北人の喜び」と「老中《ろうじゅう》とか、江戸の町でいい思いをしている方々の感覚」との差みたいなものを描いていたと思うんです。

一方、「サイレント・プア」のほうは、「もともとは、偉《えら》かったり、お金持ちだったりしても、人間関係がうまくいかず、お子様や夫がおられる方でも、一緒《いっしょ》に住んでいなくて一人になっている」ということもありますが、「昔はとても恵まれていた方で、今はつらい晩年を送っておられる方に、手を差し伸《の》べようとしても、向こうの心がかたくなになっていて、人の善意を、もう信じられなくなっている」っていうところですよねえ。

「小さなヒロイン」を通じて女性たちに伝えたいこととは

深田恭子守護霊　私は、全体的な難しいことはよく分からないんですが、「政治体制としての社会主義だとか、共産主義だとかいうもののほうが素晴《すば》らしいと思っているからやっている」というつもりはないんです。

うーん。何て言うか、人の善意とかが信じられなくなった社会や、「人を助ける」ということに恥《は》ずかしい気持ちを持つような社会、そういうことに値打ちを感じられなくなってる社会に対しては、何とか、個人の努力で……。まあ、それは、昔ならジャンヌ・ダルクみたいな方かもしれないけれども、現代では、もっと〝小さなジャンヌ・ダルク〟です。つまり、「小さな職場で、勇気を持って戦っていく女性」ということになるんだと思うんですけどもね。

「人の心の孤独《こどく》や人の心がつくり出した地獄《じごく》、人間の社会がつくり出した、そうした不幸の世界でも、同じく人間の勇気や正義感、強い責任感、行動力、判断等で、まだまだ道を拓《ひら》いていけるんだ」っていうことを示したいと思います。

女性の航空管制官みたいなのも演じましたが、そうした、危機管理みたいなものは、男性にしかできないと思われるかもしれない。だけど、「女性だって、勇気を持って判断することで、危機を救える」っていうところを見せたいし、危機

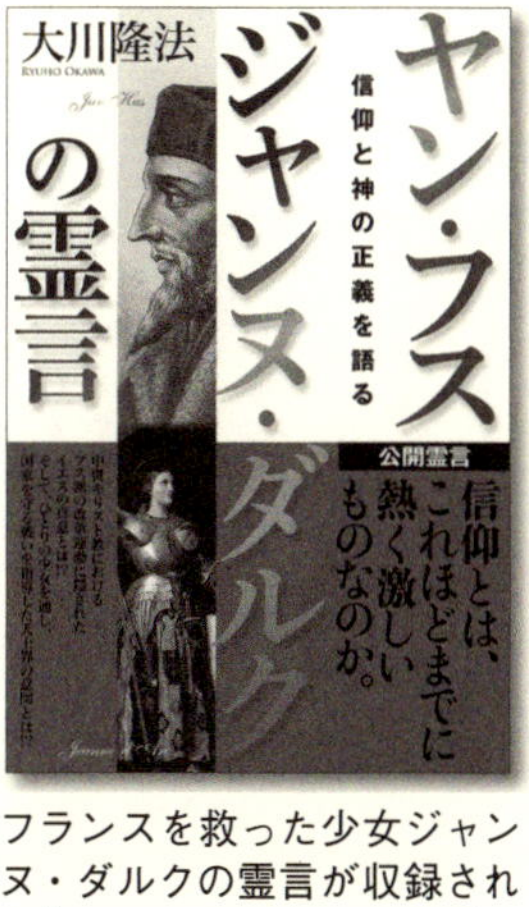

フランスを救った少女ジャンヌ・ダルクの霊言が収録された『ヤン・フス ジャンヌ・ダルクの霊言』（幸福の科学出版）。

管理業務は、キャビン・アテンダントみたいな人もやっておられると思うけど、まだ、いろいろなところであると思うんですよね。

例えば、東日本大震災《だいしんさい》のときだって、最後まで役場に残ってアナウンスをしておられた若い女性の方で、津波《つなみ》に呑《の》まれて亡《な》くなった方がいらっしゃったと思いますけれども、やっぱり、ああいう方も偉いと思います。

そのように、私は、何と言うか、大きなヒロインになりたいとは思っていないんです。ただ、いろいろな職場に咲《さ》いた小さな花ではあるけれども、そういう、小さなヒロインの役を演じて、多くの女性たちに、人生に対して勇気を持っていただければいいなと思っています。

だから、別に、左翼や共産主義という考えのほうを政治的に支持しているわけでは、決してないんです。むしろ、あなたがたがおっしゃるように、「個人で自分を励《はげ》まして、どう戦えるか」っていうところから、可能性を見いだしていかなきゃいけないという気持ちを持っています。

竹内　実際に、深田さんを理想とする女優の卵が、たくさんいらっしゃいます。「いろいろな役柄《やくがら》を演じながら勉強させていただいている」

深田恭子守護霊　ああ、そうなんですか。

竹内　はい。今日のお話を聞いていて、深田さんが長く活躍《かつやく》し、魅力《みりょく》を維持《いじ》している大きなポイントは、やはり、その宗教性のところだと感じました。

深田さんは、神を信じる心を持って、女神たちと交流し、この地上に神の美しさを広げていこうとされていると思いますが、そこが「独特の魅力」になっているのではないでしょうか。

ただ、最初に守護霊様がおっしゃっていたように、そうは言っても、芸能界は、非常に競争の激しい、弱肉強食《じゃくにくきょうしょく》の世界でして……。

深田恭子守護霊　そうです。

竹内　実際にそのなかに入っていくと、やはり、出世欲というか、ヒットしたいという欲や、年齢に対する焦《あせ》りなど、そうした葛藤《かっとう》がすごくあるという話を聞いたことがあります。

深田恭子守護霊　うーん。

竹内　ただ、大事なことは、「そのなかで、自然体をつくること」であり、それはつまり、「無我《むが》になること」なのだと思うのですけれども、こうした葛藤のなかで、どうやって女神たちと交流し、この地上に光を広めるという「自然体」を維持しているのかについて、お伺《うかが》いできればと思います。

深田恭子守護霊　すごく難しいご質問だと思いますねえ。

そうは言っても、現代のドラマでは、三角関係みたいなものも演じなきゃいけないこともあるし、家庭を壊《こわ》す愛人みたいな役も演じなきゃいけないこともありますし、いろいろな矛盾《むじゅん》のなかでの葛藤がないわけではないんですけども……。

まあ、「いろいろな役柄《やくがら》をしながら、その立場で何が可能なのかを勉強させていただいている」っていうことなんですけどもねえ。

私も、まだ本来の使命までは辿《たど》り着けていないのかなあとは思うんですけども、「何とか、世を照らす光の一筋《ひとすじ》にでもなりたいなあ」という気持ちだけは、いつも持ってはいます。

そういう気持ちを持ってる人が、〝殺人事件〟に登場したりするのは、まことに恥ずかしいことではあろうと思うんですけれども、今、いろいろな作品に出てきますので、そんな、いい役ばかりができるわけではありません。

まだまだ、表現力が十分じゃないので、演じ切れていないところもあるし、木《き》村《むら》拓《たく》哉《や》さんとは違《ちが》った意味で、「深キョンは、何をやっても深キョンだ」っていうことになってしまっているようには思うんですけどねえ。

でも、これからは、できるだけ、働く女性たちがフロンティアを拓いていくための勇気になるようなドラマ……、まあ、自分でつくるわけにはいかないけれども、役柄が回ってきたら、そういうものを演じ切れる自分になりたいなあと思うし、次は、女性の経営者とか、そういうものも演じられる自分になってみたいなと思いますね。

さまざまな事業家みたいなものをやれる女性や、もう少し年を取れば、政治家も演じられるような女性になりたいので、幾つか、そういうものに挑戦していきたいなと思っています。

守護霊から、女優・深田恭子へのアドバイス

斉藤　そうした役を演じていく上で、地上の深田さんにアドバイスするとしたら、どういったことがありますでしょうか。

深田恭子守護霊　うーん。どこかで、深キョンのイメージを破らなければいけないときが来るのかなあ。「意外性を出さなきゃいけない面があるのかなあ」とは思うんですけどね。もう何年かはもっと思うんですが……。

まだ、菅野美穂《かんのみほ》さんほど、バラエティーに富んだ役柄を演じ切るところまでは

行っていないように思うので。

だから、やっぱり、どうしても「深キョン」に見えるところを、何とか破らなければいけないので、あえて自分の基本パターンを破れる役に挑戦できればなあとは思っていますけどもねえ。

6　女優・深田恭子の「美」の秘密を明かす

「深キョン流ダイエット」のポイントとは

竹内　少し角度を変えた質問をさせていただきたいんですけれども。

深田恭子守護霊　はい。

竹内　私が言うのもとても失礼なのですが（笑）、女優にとって、体重管理というのもプロとして必須《ひっす》だと、ある方から聞いたことがあります。

また、これはテレビで観《み》た話ですけど、大御所《おおごしょ》の高倉健《たかくらけん》さんなども、「俳優というのは体が唯一《ゆいいつ》の資本なのだ」と言っていました。

深田恭子守護霊　はあ……（深いため息）。

竹内　例えば、朝食はナッツがたっぷり入ったシリアルヨーグルトで、毎日同じものを食べ、夕食までは何も食べないようにして、体重管理をしっかりされているようです。

深田恭子守護霊　（笑）

竹内　深田さんは、ダイエット系に関して、いろいろ評判を呼んだと聞いたことがあるのですが、俳優や女優にとっての、プロとしてのスタイルや体重管理などの心構え、ポイントがございましたら教えてください。たぶん、これは女優に限らず多くの方にとって参考になると思いますので。

深田恭子守護霊　困ったなあ。

まあ、私は顔がちょっとぽっちゃり型なので、画面に映《うつ》ると、気をつけないと太って見えるタイプなんですよ。だから、そういう意味では気をつけないと難しいことになりますね。「あっ、太ったな」とか言われると非常に堪《こた》えますので、そのへんの体重管理はすごく難しいですね。

でも、魅力《みりょく》もまた、このぽっちゃりしたところで、胸の辺もぽっちゃりして、お尻《しり》の辺もぽっちゃりしてるようなところが魅力ではあるんだけど。

そういうぽっちゃりしたところが魅力ではあるけど、「太ってちゃいけない」というか、「体重の重い女性みたいに見えてはいけない」という、そのへんの矛《む》盾《じゅん》が難しいところなんですよね。

水分がなくなって、げそっとした深キョンでは駄目《だめ》なんですよ。げそっとしてちゃ駄目なの。「プリンプリン」してなきゃいけないんだけど、太ってては いけない。太ってプリンプリンしてるのではいけないっていうところで、そのへんの管理はとても難しいですね。

どちらかといえば、タイプとしては、放っておけば太っていくタイプなんだと、自分では思うんですよ。自然体でいくと太っていくタイプだと思うので。

まあ、そのへんのコンディションづくりは、そんなに科学的ではないんですけど、ちょっと「内なる声」は聞こえることは聞こえるので、「内なる囁《ささや》き」のようなものが、食べるものとか運動とか、そういうものに対して、何かコントロールしようとしているようには感じるんですよね。

竹内　具体的に、どういう声でしょうか。

深田恭子守護霊　分からないんですが、それがいわゆる「美の女神界《めがみかい》からの要請《ようせい》」なのかもしれませんけど。

肌《はだ》を美しく保つために心掛《こころが》けていることとは

竹内　女優の方は、ダイエットをすると肌《はだ》がけっこう荒《あ》れたりすることが多いらしいんです。極端《きょくたん》なダイエットをされるそうで。

深田恭子守護霊　そうですね。

竹内　でも、「深田さんは、きれいなままの肌を維持《いじ》されている」と感じるのですが。

深田恭子守護霊　だから〝フカヒレ〟を維持しなきゃいけないんですよ。

竹内　フカヒレですか（笑）。

深田恭子守護霊　そうなんですよ。プリンプリンしたところ。

竹内　（笑）これは何か「霊的《れいてき》なパワー」を皮膚《ひふ》に送っていらっしゃるんですか。

深田恭子守護霊　分かりませんが、親に産んでもらった体なので、そういう体質はありますから。よくは分からないんですが、どうでしょうかねえ……。

まあ、ややストレスフルな役柄《やくがら》が増えてきているので、だんだん神経質な顔つきになっていかないように、努力しなきゃいけないと思っています。

例えば、自分で意図的《いとてき》にリラクゼーションの時間をつくるっていうか、皮膚の緊張《きんちょう》を解いて柔《やわ》らかみを出していく努力。意図的に、イメージトレーニングみたいなものはやっていますね。

そうしないと、だんだん顔にピーッと縦皺《たてじわ》が寄ったり、いろいろ「張り詰《つ》めたりするような顔」や「厳しい顔」になっていきます。やっぱり、厳しい顔になってくると、役柄が固定されてきますからねえ。

身体的コンプレックスを魅力《みりょく》に変える方法

斉藤　働く女性が増えている今、そういう具体的な「リラクゼーション法」ですとか、「女性としての柔らかさを維持する法」というのは非常に貴重なものかと思うんですけれども、何かアドバイスを頂けますでしょうか。

深田恭子守護霊　やっぱり、お尻の丸みみたいなのを恥《は》ずかしがらずに、魅力《みりょく》として男性の目に映るような動き方を、少し心掛《こころが》けられるといいと思うんですよ。歩き方でも変わるんです。歩き方でヒップラインの動きが変わりますから、研究されたらいいと思うんです。

モデルさんでも、すごく上手な歩き方をされてるでしょ？　あれはモデル用の歩き方ですので、ああいうふうになる必要はありませんが、ふくよかな体をしておられる方は、それをえてして隠《かく》したがる気《け》はあるんですね。

例えば、胸がふくよかな方も、お尻がふくよかな方もいらっしゃるし、足がふくよかな方もいらっしゃるし、顔がゆったりした方もいらっしゃると思うんですけども、その丸みがあるラインを、単に恥ずかしがったり隠したりするんじゃなくて、印象的に生かす技術をつけたらいいんじゃないかと思うんですよね。

だから、ヒップラインがちょっと気になる方でしたら、できるだけ細《ほそ》く見せようと頑張《がんば》ってらっしゃると思うんですけども、立ち上がって歩き出すときに、「微妙《びみょう》な五ミリ程度の腰《こし》の揺《ゆ》れ」が魅力に見えるようなときがありますので、そういうところを少し努力されたほうがいいかもしれません。

また、全体が太ったように感じてきたら、「腰のひねり方」で、やや斜《なな》めに体を動かして細く見せることは可能なので、腰が動いているように見せることで、引き締《し》まった感覚が出せるんですよね。そういうところは大事なので。

あとは、手つきや足つき等は、もちろん「お茶」とか「お華《はな》」とかの作法《さほう》や、人に何か食べ物を出すときの作法もみんな一緒《いっしょ》ですけれども、このへんは、昔からかなりの技術が蓄積《ちくせき》されていますので、そのあたりの感じですかね。

美人でなくても美人に見えるポイントは「目の使い方」

深田恭子守護霊　また、「美人でなくても美人に見える法」は、基本的には「目」だと思います。自分の目の見え方ですよね。

例えば、「自分の目がどういうふうに見えているか」っていうのを、自分の映像を点検する必要もあるし、鏡とか、お芝居《しばい》をしてるときのモニターに映ってる姿なんかもそうです。あるいは、相手役の方の瞳《ひとみ》に映ってる自分の姿を見つめるとか、いろいろなかたちで、「目でもって美しさをどう表現するか」っていうことです。

本当に、目の動き方一つでずいぶん変わるんですよ、印象がね。そのへんの努力は、やっぱり要《い》るのかなあと。

それは、人生で生きていく上で大事なことなんだけど、その大事なことを教わらないことが多い。女優とかそういうのになれば考えますが、それ以外の女性はあんまり考えていないことが多いので。

だから、オフィスで働く女性でも、椅子《いす》に座《すわ》って仕事をされてても、立ち上がるときのしぐさや、立ち上がったあとの椅子を触《さわ》るしぐさ等でも美しさを出せるんですよ。

例えば、本を読んでるときに、それを止《と》めて何かに移るときのしぐさでも、ちゃんと美は出てくるので、そのへんに意識が回るかどうかっていうことだと思うんですよねえ。

「神様に愛されている」という実感が、私の原動力

武田　先ほどから、「心を潤《うるお》したいんだ」というお話が何度か出ているのですが、そのような力を発揮するために、どんな工夫《くふう》をされてるんでしょうか。

深田恭子守護霊　まあ、よくは分からないんですけども、なんか、自分がすごく愛されてる感じは受けるんです。その「愛されてる」っていうのは、親とか友達とかっていうのではなくて、もっと違《ちが》った、大きな視点から愛されてるっていう感じを、すごく受けています。

ですから、不遜《ふそん》な言葉で言えば「選ばれている」ということなのかもしれないけれども、「愛されている」っていう感じを受けているので、大きなものに愛されている感謝の気持ちみたいなのを、世の中に少しずつお返ししていかなきゃいけないんだなっていう、そんな気持ちを持っています。

武田　「大いなるものに愛されている」というふうに感じる気持ちに至ったきっかけは、何だったんでしょうか。

深田恭子守護霊　分かりません。分かりませんが、「大いなるもの」って、おそらく神様だと思いますけれども、「神様にとても愛されてる」っていう感じを、私は持っています。

武田　それは、誰《だれ》にでも持てるような気持ちということなんでしょうか。

深田恭子守護霊　いやあ、分かりません。
誰でも持てるかどうかは知りませんが、私は一日のうちに何度か、そういう気持ちになります。自分は愛されているんだなあって。
異性に愛されてるっていうんじゃなくて、「神様に愛されて、いろいろなチャンスや役柄、仕事も頂いて、多くの人に観ていただいて、そんなにずっと嫌《きら》われ

ないで今までやってこれた」ということに対して、とてもありがたいと思ってい
るし、今後も、それをお返ししていける人生でありたいなあと思っています。
なんか、大きなものに包《つつ》まれてる感じは、いつも持っています。

武田　なるほど。分かりました。

7 深田恭子の「過去世《かこぜ》」と「宇宙のルーツ」とは

マリー・アントワネットに憧《あこが》れを抱《いだ》く理由

武田　それでは最後に、ご本人のことについて伺《うかが》いたいのですけれども、「過去《かこ》世《ぜ》はイルカだったかもしれない」とか……。

深田恭子守護霊　（笑）

武田　ほかの情報では、マリー・アントワネットと誕生日が同じで、非常に憧《あこが》れていらっしゃると。

竹内　「前々世《ぜんぜんせ》が、マリー・アントワネットだ」というふうにご自身でも言っておられまして……。

深田恭子守護霊　イルカの次がマリー・アントワネットですか。

武田　ええ。

深田恭子守護霊　ああ、そうですかあ。

竹内　さらに、未来世《みらいせ》は「黒猫《くろねこ》」と。

マリー・アントワネット（1755 ～ 1793）
オーストリア女大公マリア・テレジアの娘で、フランス国王ルイ 16 世の王妃。フランス革命時に刑死した。

深田恭子守護霊　黒猫？

竹内　はい。

深田恭子守護霊　ちょっと冗談《じょうだん》が過ぎてるかなあ。

武田　（笑）ただ、本質的な魅力《みりょく》の源《みなもと》みたいなものが、こういった転生《てんしょう》の経験において培《つちか》われてると思いますので……。

深田恭子守護霊　うーん、マリー・アントワネットっていうのは悲惨《ひさん》な最期《さいご》になってますけど、女性として見たときには、とってもかわいい女性だと思うんですよねえ。

まあ、本当の言葉ではないと言われてはいますけども、民衆が「パンをよこせ」と言ってデモをしてるようなときに、「パンがなかったら、ケーキを食べたらいいのに」って言うような女性というのは非常に〝ピント〟がズレているし、死刑《しけい》になってもしかたがないのかもしれないけれども、どこか、生まれ育ちの家《いえ》柄《がら》のよさと、女性としてのかわいらしさのようなものは感じますよねえ。それを、まともに取って殺してしまうのは、ちょっと度が過ぎているような気はします。

今は、そういう女性としてのかわいらしさみたいなものと、高貴な世界が表現できない時代に入っているので、何かそういう「高貴なもの」が要《い》るんじゃないかなとは思ってるんです。

つまり、身分制社会がなくなって、庶民《しょみん》の時代になったこと自体はいいことだとは思うし、誰《だれ》にでもチャンスのある時代もいいことだとは思うんだけども、何らかのそうした「高貴なもの」を感じさせるっていうのも、ある意味での信仰心《しんこうしん》の変化形だと思うんですよね。

高貴なものが、何かは知らねども、高貴なものに畏敬《いけい》の念を感じるっていうのから、神様や仏様への信仰心は、実は続いてるんじゃないかと思うんで。

だから、身分なき社会において、何らか尊いもの、高貴なものをどう表現するかっていうことは大事で、過去世がマリー・アントワネットなんてことはございませんけれども、「そういう役でも演じられるような自分になりたい」っていう気持ちは持ってはいますね。

やっぱり、私は〝悲劇のヒロイン〟を求めてるんでしょうか。どうなんでしょうかねえ。分かりませんけども。オホホホッ（笑）。

深田恭子の過去世《かこぜ》に迫《せま》る

斉藤　そこのかわいらしさが、深田さんの魅力の一つかとも思います。今、女性として非常に賢《かしこ》い方だなあという印象を受けたのですけれども……。

深田恭子守護霊　いやあ、それはないでしょう。あなたにそれを言われたくはないですね。

斉藤　いえ、いえ。女性としての賢さというのは、また別のものがあると思いますので……。

深田恭子守護霊　ああ、そうなんですか。

斉藤　ということは、きっと何かしらの過去世《かこぜ》があるんじゃないかと思うんですけれども。

深田恭子守護霊　〝イルカ〟か〝黒猫〟か〝マリー・アントワネット〟か？（笑）

武田　これはご自身でおっしゃってるような……。

深田恭子守護霊　でも、これはかなり精神分裂《ぶんれつ》の世界に入っていますね。ここまで行くと。

武田　実際はどうでしょうか。

深田恭子守護霊　ああ、困ったなあ。ここから、それを訊《き》かれるんですよねえ。

武田　はい。

深田恭子守護霊　うーん。役づくり上《じょう》、問題が出てくるといけないし、いろいろな役ができなければいけませんので……。

武田　はい。

深田恭子守護霊　うーん……。

武田　いろいろな過去世をおっしゃってくださってもよろしいかと思うんですけど。

深田恭子守護霊　いや、そんなにたくさん（笑）、いろんな過去世があるわけではありませんけども……。

まあ、ここはちょっと場所が〝悪く〟て、私にとってはそういうのはとっても言いにくい場所ですね。

ここでだと、「ヘルメス様に飼われてたイルカです」とか言うと喜ばれるんですか（注。ヘルメスは四千三百年前にギリシャに実在した英雄《えいゆう》。

ギリシャ神話のヘルメス神は、4300年前に実在したクレタの王で、
貨幣経済と貿易等を発明して、地中海世界に繁栄をもたらした英雄。
（映画「太陽の法」〔2000年公開／製作総指揮・大川隆法〕より）

「愛」と「発展」の教えを説き、全ギリシャに繁栄《はんえい》をもたらし、西洋文明の源流となった。大川隆法の魂《たましい》の兄弟の一人である）。

武田　それが事実でございましたら、それはそれで受け止めさせていただきますけれども（笑）。

深田恭子守護霊　「実は、イルカに餌《えさ》をやっていました」とか言うと喜ばれるんでしょうか。

武田　例えば、日本ではほかに転生がございませんか。

深田恭子守護霊　まあ、ないわけはないでしょうねえ。あるでしょう。

武田　ええ。

深田恭子守護霊　でも、こういう女優業がこんなに流行《はや》るっていうのは、時代的にはありませんので……。

武田　どこかのお姫様《ひめさま》とか、そういう系統でしょうか。

深田恭子守護霊　ううーん……。まあ、こっから先はイマジネーションの世界でしょうね、みなさん。

武田　イマジネーション？

深田恭子守護霊　いや、みなさまがたが、どんな人だったら深キョンに……。

武田　先ほどご自身で、「水晶《すいしょう》を前にして、占《うらな》いをやるのもいいんですよ」「霊能《れいのう》者《しゃ》でもいいんですよ」というお話もありましたけど、そういう感じはあるんですか。

深田恭子守護霊　うーん。ちょっとありますね。

武田　ちょっとありますか。

深田恭子守護霊　うん。

武田　これは日本ではないんですかね。

深田恭子守護霊　日本ではないのもありますね。ええ。過去世《かこぜ》ではアラビアやインド、日本に生まれたことがある

武田　日本でもある？

深田恭子守護霊　日本ではないのもあります。

武田　これは、いわゆる「占い」といいますか、「魔術《まじゅつ》的なもの」ですかね。

深田恭子守護霊　アラビアのほうとかではね。

武田　ああ、アラビアですか。

深田恭子守護霊　そういう経験もちょっとありますね。

武田　これはどういう時代の話なんですか。

深田恭子守護霊　やっぱり、アラビアンナイトのような時代ですよねえ。だから、王宮があった時代です。

あとは、インドのマハラジャみたいな所で、奥様《おくさま》みたいなので生まれたこともあることはありますし、ちょっと踊《おど》りをやったこともあるので。

武田　あっ、そうなんですか。

深田恭子守護霊　踊りのお師匠《ししょう》さんみたいなのもやったことはあるんですけどね。

武田　それはどちらの世界で?

深田恭子守護霊　「どちらの世界で?」って言っても、こちらの世界ですけども。

武田　日本ということですか。

深田恭子守護霊　そうですねえ……。だから、深田恭子の正体が「深川《ふかがわ》の芸者だった」とかいうんだと、もう洒落《しゃれ》にもなんないですよね。

武田　（笑）

深田恭子守護霊　ハハハ（笑）。

深田恭子の「美」は天照大神《あまてらすおおみかみ》の系統

竹内　日本で言うと、天照《あまてらす》様系や竜宮界《りゅうぐうかい》系などがあるんですけど、その美はどういう方面になりますか。

深田恭子守護霊　天照様系だと思います。

竹内　天宇受売命《あめのうずめのみこと》とかは知っていますか。

深田恭子守護霊　うーん、有名な方ですけど、私の直接の〝あれ〟ではありません。

竹内　うーん。

深田恭子守護霊　別に、私はヌードで踊《おど》ったりするような、そんなことはしませんので。なろうとは思いませんけども。

竹内　（笑）その近く……？

深田恭子守護霊　そうですねえ……。うーん、苦しいな。こっから先はちょっと……。

武田　苦しいですか。

深田恭子守護霊　うん。苦しいですね。こっから先の話はちょっと苦しくなる……。

直前世《ちょくぜんせ》では、新撰組《しんせんぐみ》から維新《いしん》の志士をかくまったことがある

武田　先ほど、「実は、幸福の科学にいてもいいような品行方正《ひんこうほうせい》なところがあるんですよ」とおっしゃっていたんですよね。

深田恭子守護霊　うーん。

武田　宗教に、非常に親和性がある方なのかと思うんですけれども。

深田恭子守護霊　うん。

竹内　この会場にいる方で、ご縁《えん》のある方はいらっしゃいますか。

深田恭子守護霊　（苦笑）困ったなあ……。

竹内　神道《しんとう》の方やさまざまな方がいらっしゃるんですけど。

深田恭子守護霊　あなたのような方から、お護《まも》りする女性をしたことが、直前世《ちょくぜんせ》ではあります（注。質問者の竹内は、以前のリーディングで、過去世の一人が、維新の志士と敵対していた新撰組《しんせんぐみ》の沖田総司《おきたそうじ》であったことが判明している。『宇宙からのメッセージ』〔幸福の科学出版刊〕参照）。

竹内　うん？　どういう意味ですか。

武田　あなたのような方からお護りする女性？

竹内　護る女性って？

深田恭子守護霊　直前世では、維新《いしん》の志士たちをかくまったりするような役をやったことがあります。

武田　ほお。

深田恭子守護霊　まあ、芸者みたいな役割ですかねえ。それで、維新の志士たちをかくまっていましたので。

武田　維新の志士たちのなかでは誰といちばん、こう……。

深田恭子守護霊　（笑）それを言うと、ちょっとまずい……。

竹内　新撰組が来たときに桂小五郎《かつらこごろう》さんをかくまった人？

深田恭子守護霊　いや（笑）、それを言うと特定されますので、そういうふうなことは言いません。

武田　ええ。

深田恭子守護霊　言いませんけども、そういう役割もあったかなというところはありますねえ。

だから、今の「サイレント・プア」ではないけど、命を投げ出して、お国を変えようとしている人たちの命が狙《ねら》われているのをかくまったりするような仕事はしていたので、寺田屋《てらだや》のお登勢《とせ》さんや、お龍《りょう》さんなんかに近いような役割をしたことがあるかもしれません。

武田　つまり、同じような格の方をお護りしたっていうことですね？

深田恭子守護霊　まあ、そういうことになりましょうねえ。

武田　なるほど。幾松《いくまつ》さんですか。

深田恭子守護霊　いやあ、それはまずいんじゃないんですか。

京都・伏見の宿・寺田屋の女将・お登勢（左）と坂本龍馬の妻・楢崎龍（右）。

竹内　（笑）

深田恭子守護霊　そういう言い方はまずいんじゃないですか。ほかにもたくさんいますから。

武田　やはり、明治維新は「神仕組《かみしく》み」の一つだと思いますけれども、天意を受けてお仕事をされる方ということなんでしょうか。

深田恭子守護霊　うーん、そうなんですかねえ。意外に、「久坂玄瑞《くさかげんずい》さんにも愛人がいた」っていう話もありますしね。

武田　はい（笑）（会場笑）。

深田恭子守護霊　まあ、いろいろありますから、分からない……。

武田　久坂玄瑞さんはご存じなんですか。

深田恭子守護霊　知ってますよ。

武田　あっ、知ってますか。

深田恭子守護霊　ええ。これ以上は追及《ついきゅう》してはいけないんじゃないですか。

武田　いけないんですね（笑）（会場笑）。

深田恭子守護霊　まずいと思います。

武田　ああ、なるほど。

深田恭子守護霊　いや、すみませんでした。

ギリシャ時代に生まれ、ヘルメスに仕《つか》えていた

竹内　その続きで、ギリシャ系はいかがでしょうか。これだけ海が好きなので、ギリシャとかにも縁があると思うんですが。

深田恭子守護霊　だから、〝イルカ〟でしょ？

武田　うーん。

竹内　いや、それは冗談だと思うんですけども（笑）。

深田恭子守護霊　いやあ、イルカは見たことありますよ。イルカはね。ヘルメス様はイルカを飼ってましたから。

竹内　あっ、ヘルメス様の時代にいらっしゃったんですか。

深田恭子守護霊　そのへんは、ちょっと教団のあれに触《ふ》れますので。なんか、教団も防衛の〝赤外線のビーム〟を張ってらっしゃるんじゃないんですか、ここは。

武田　ああ、入れない感じですか。

深田恭子守護霊　入っちゃいけないものが。

武田　本当は入れる人なんですね？

深田恭子守護霊　いやあ……、それはないわけではないですね。

武田　そうですね。

深田恭子守護霊　ええ、ええ。

竹内　ヘルメス様をお見かけする立場の方……。

深田恭子守護霊　これ以上言うと〝身の危険〟を感じますから、私は、これ以上は言えませんが……。

武田　うん、うん。

深田恭子守護霊　うーん、ほかの女性のお弟子《でし》さんもたくさんいらっしゃると思いますので、私のような外野の人間がこんなことをこれ以上言ってはならないので。

武田　なるほど。

深田恭子守護霊　ヘルメス様の骨休《ほねやす》みのときに演劇か音楽でもやってた女性で、旅の芸人ぐらいに思ってくだされば楽なのかもしれません。

武田　ただ、ヘルメス様と直《じか》に接することのできた人ではあったということですね？

深田恭子守護霊　……（手をすり合わせる）。

武田　（笑）

ヘルメスがお忍《しの》びで旅行をするときにお世話をしていた

深田恭子守護霊　はあ（ため息）。あの人（ヘルメス）もけっこう忍《しの》び旅をする方なんですよ。〝参勤交代《さんきんこうたい》のお殿様《とのさま》〟じゃありませんけど、身分を隠《かく》して、けっこう旅行なされてる方で、普段《ふだん》からいろいろなところの事情を見ておられました（『愛は風の如《ごと》く①～④』〔幸福の科学出版刊〕、『「黄金の法」講義①』〔宗教法人幸福の科学刊〕参照）。水戸黄門《みとこうもん》さんふうにあちこち漫《まん》遊《ゆう》されておられた方であるので、いろいろなところで、事情を知った上で、お泊《と》めするというか、お世話するようなお宿ぐらいは必要でしょうね。

英雄ヘルメスの半生を綴った物語『愛は風の如く①～④』（幸福の科学出版）。

武田　うーん。

深田恭子守護霊　「そういう意味で、ご協力したことはあるかもしれません」というくらいなら、逃《に》げ切れるあたりですか。

武田　はい。

斉藤　「超《ちょう》高速！　参勤交代」のような感じでしょうか（笑）。

深田恭子守護霊　ああ、まさしくあんな感じですねえ。神出鬼没《しんしゅつきぼつ》な方ですので。

武田　うん、うん。

深田恭子守護霊　突如《とつじょ》、行動を開始される方ではあるので、今、あなたがたも困っておられるんではないかと思いますが。

やっぱり、敵も多かった時代ではあるので、事前にいろいろな計画をすると漏《も》れるので、予定が分からないタイプの方であるんですよ。

武田　なるほど。

深田恭子守護霊　もちろん、王宮ではちゃんとした仕事をされるんでしょうけど、いったん王宮を出られたら予定がつかめないようなタイプの人であるので。そういう意味で、いつも備えてなければいけないタイプのお方ではあったんじゃないでしょうかね。

武田　よくご存じで。

深田恭子守護霊　これ以上いくと、女のお弟子様たちの嫉妬《しっと》を買う可能性があるので、もう、これ以上は苦しい。

武田　分かりました。

神秘性があるのは、ベガ星の力を引いているから

竹内　最後に一点だけ、〝不思議少女〟で芸能界を渡《わた》っていたときもあるので、実は宇宙とも何か関係があるのではないかと……。

深田恭子守護霊　ああ、それはもう、最後は「宇宙人の役」をやりたいと思ってます（会場笑）。

竹内　（笑）役というわけではなくて、何らかの宇宙のパワーを引いたりとか、何かあるのかなあと思ったんですけども。

深田恭子守護霊　それは、そうなんじゃないんですか。ええ。

竹内　どういうふうな？

深田恭子守護霊　普通、そうなんじゃないですか。

竹内　普通なんですか。

深田恭子守護霊　ええ。神秘性がある人は、みんな、だいたいそうなんじゃないんですか。

竹内　ああ。深田さんはどういう「星」の魔法の力を……。

深田恭子守護霊　（笑）

竹内　魔法というか……、ごめんなさい（笑）。どういう星の力を引いているんですか。

深田恭子守護霊　ベガ星です。

竹内　あっ、ベガですか。

深田恭子守護霊　はい。

武田　ほお。

竹内　ベガの、どういう〝あれ〟なんですかね（笑）？

深田恭子守護霊　（笑）いや、つらいですねえ。

竹内　どういう美しさの光なんですか。

深田恭子守護霊　〝ベガの踊り子さん〟かなんかじゃないんですか。いや、これ以上言うと、また〝ご禁制〟に触れるところまで来てますので。

斉藤　やはり、それだけ偉《えら》い方ですと、あちらの……（聴聞者席《ちょうもんしゃ》に手を向ける）。

深田恭子守護霊　だから、〝目が潰《つぶ》れる〟から見ないようにしてるの。

武田・斉藤　（笑）

ベガ星人の特徴《とくちょう》は、「相手が見たいと思う姿」に変化できること

武田　それでは、お姿もベガ星人のお姿をされていたんですね?

深田恭子守護霊　ベガ星人っていうのは、姿はないんですよ。

武田　あっ、ないんですか。

深田恭子守護霊　ええ。実は、変化する……、今流行《はや》りの〝トランスフォーマー〟。

武田　なるほど。では、女優にはとても向いてらっしゃる。

深田恭子守護霊　うん。トランスフォーマーは、ベガなんですよ。

武田　はい。

深田恭子守護霊　ベガっていうのは姿が変わるんです。相手が思っている姿、期待する姿に変わるんです。それがベガの特徴《とくちょう》で、ベガ星人の本当の姿っていうのは、実はよく分からないんですよ。相手が心に描いてる姿に変わるんです。それがベガ星人の特徴なんで。

ベガ星人っていうのは本当は、三次元物質界と、四次元以降の高次元の霊界《れいかい》とを併《あわ》せ持った体なんじゃないかと思うんですよ。だから、三次元の存在だと思ったら間違《まちが》いだと思います（『宇宙人との対話』〔幸福の科学出版刊〕第4章参照）。

武田　うーん。

深田恭子守護霊　三次元に物質化して現れている部分もあるけど、それ以外の部分も持っていて、三次元に姿を現す場合は、相手が見たいと思っている姿を出すのがベガなんですよ。

そういう意味では、確かに女優とかには向いているのかもしれませんが、相手が期待した姿に変わってくるんです。見たい姿を見せるんです。

武田　なるほど。

幸福の科学では、宇宙時代の真理探究の一環として、地球に転生してきた宇宙人の魂の記憶を読み取る「宇宙人リーディング」という秘儀が行われている。『宇宙人との対話』（幸福の科学出版）では、ベガ星人やプレアデス星人、ケンタウルス座α星人等の魂が登場した。

深田恭子守護霊　これがベガの特徴《とくちょう》なので、そういうところの霊流《れいりゅう》は引いている

ということですね。

まあ、これ以上は、侵入者《しんにゅう》をチェックする赤外線のようなものが、どこも張り

巡《めぐ》らされてて、それを越《こ》えるとブザーが鳴るような感じがちょっとするので（会

場笑）。

武田　ええ。

深田恭子守護霊　「今は、その程度の〝旅芸人〟に毛が生《は》えたような仕事をしてて、

そんなことを言うな」って怒《おこ》られそうで、もうそれ以上は言えない世界ですね。

武田　はい、分かりました。非常に親和性を感じさせていただきました。今日は、

本当にいろいろと秘密を明かしてくださいまして、ありがとうございます。

深田恭子守護霊　教団が芸能界にも支援《しえん》するような、親和性を持つような動きをなされるときには、何らかのお役に立てるか、あるいは、みなさまがたにもちょっとは応援していただけるようなことができれば、ありがたいなあとは思ってます。

将来、何らかのかかわりが出てくることを、心の底から願っています。

武田　はい。こちらも願っております。

深田恭子守護霊　ありがとうございます。

武田　ありがとうございました。

8　深田恭子守護霊の霊言《れいげん》を終えて

大川隆法　はい。（手を叩《たた》きながら）まあ、口を濁《にご》していますが、うーん……。

菅野美穂《かんのみほ》さんも、過去世《かこぜ》で私と何か関係があって、わりに近いところまで来ていたことがあったような話を、守護霊が言っていましたが……（『魅《み》せる技術』〔幸福の科学出版刊〕参照）。

武田　そうでした。はい。

『魅せる技術』（幸福の科学出版）

大川隆法　この人も、多少関係はありそうですね。

武田　かなり近そうですね。

大川隆法　やはり、感じるだけのことはあります。神秘的なものを感知しているのは確かですので、たぶん何か関係があるのでしょう。おそらく霊的《れいてき》な体質をお持ちですね。先ほど、「内なる声が聞こえる。囁《ささや》きが聞こえる」と言っていましたので……。

武田　はい、言っていました。

大川隆法　霊能者の資質があるのではないですか。特に、ミディアム（霊媒《れいばい》）系の、神がかってくるかたちの素質を持っておられる方なのではないでしょうか。
そういう人はよく当たってくるのかもしれません。

武田　はい。

大川隆法　ちなみに、サッカーの本《ほん》田《だ》圭《けい》佑《すけ》選手の心のなかには「内なる本田」というようなものも存在するそうですけれども（『サッカー日本代表エース 本田圭佑守護霊インタビュー』〔幸福の科学出版刊〕参照）。

武田　「リトル本田」も存在すると……。

『サッカー日本代表エース 本田圭佑守護霊インタビュー』（幸福の科学出版）

大川隆法　どうも、「自分の内から声が聞こえてくるようなタイプの人」と何か接触《せっしょく》したり、調べたがる気《け》があるようですね。

武田　そうですね。

大川隆法　まあ、どこかで、何か交《まじ》わるところが出てくるといいですね。

武田　はい。

大川隆法　もし、「宗教と何らかの縁《えん》ができても、別に困らない」ということであれば、やはり、芸能界は神秘力を身につけないといけない世界ではありますので、何か霊流《れいりゅう》を引く媒体《ばいたい》になれるかもしれないと思っています。

これを契機《けいき》に、深田恭子さんがますます神秘性を深め、付加価値が付きますことを、心の底よりお願いしたいと思います。
（手を一回叩く）ありがとうございました。

武田　ありがとうございました。

あとがき

女優・菅野美穂さんから感じた「何か」に似たものを、深田恭子さんからも感じるので、過去世のどこかで、何らかのご縁のあった方なんだろうと思う。

今の私は、おそらく娘が大人の女性に変身していくのを眺めるような目で、「女性が活躍できる社会」で女優は何ができるかを考えているのだろう。

この癒しのオーラを宿す神秘系の女性が、実社会の壁に挑戦していく姿に、ひそかな拍手を送っているのだと思う。

今後とも精進され、ご活躍されることを期待したい。

二〇一四年　十月二十三日

幸福《こうふく》の科学《かがく》グループ創始者兼総裁《そうししゃけんそうさい》

大川隆法《おおかわりゅうほう》

『「神秘の時」の刻み方』大川隆法著作関連書籍

『愛は風の如く』全四巻（幸福の科学出版刊）
『人間力の鍛え方――俳優・岡田准一の守護霊インタビュー――』（同右）
『俳優・木村拓哉の守護霊トーク「俺が時代を創る理由」』（同右）
『竜宮界の秘密』（同右）
『エロスが語る アフロディーテの真実』（同右）
『ヤン・フス ジャンヌ・ダルクの霊言』（同右）
『宇宙からのメッセージ』（同右）
『宇宙人との対話』（同右）
『魅せる技術――女優・菅野美穂 守護霊メッセージ――』（同右）
『サッカー日本代表エース 本田圭佑守護霊インタビュー』（同右）

※左記は書店では取り扱っておりません。最寄りの精舎・支部・拠点までお問い合わせください。

『「黄金の法」講義①』（宗教法人幸福の科学刊）

「神秘《しんぴ》の時《とき》」の刻《きざ》み方《かた》
── 女優・深田恭子 守護霊インタビュー ──

2014年10月31日　初版第1刷

著　者　　大《おお》川《かわ》隆《りゅう》法《ほう》

発行所　　幸福の科学出版株式会社
〒107-0052 東京都港区赤坂2丁目10番14号
TEL(03)5573-7700
http://www.irhpress.co.jp/

印刷・製本　株式会社 堀内印刷所

落丁・乱丁本はおとりかえいたします

ISBN978-4-86395-582-0 C0076
写真：時事／築田純／アフロ／ The Kobal／時事通信フォト

大川隆法霊言シリーズ・人気の秘密に迫る

魅せる技術

女優・菅野美穂 守護霊メッセージ

どんな役も変幻自在に演じる演技派女優・菅野美穂――。人を惹きつける秘訣や堺雅人との結婚秘話など、その知られざる素顔を守護霊が明かす。

1,400円

堺雅人の守護霊が語る 誰も知らない「人気絶頂男の秘密」

個性的な脇役から空前の大ヒットドラマの主役への躍進。いま話題の人気俳優・堺雅人の素顔に迫る110分間の守護霊インタビュー！

1,400円

人間力の鍛え方

俳優・岡田准一の守護霊インタビュー

「永遠の0」「軍師官兵衛」の撮影秘話や、演技の裏に隠された努力と忍耐、そして心の成長まで、実力派俳優・岡田准一の本音に迫る。

1,400円

※表示価格は本体価格（税別）です。

大川隆法 霊言シリーズ・人気の秘密に迫る

俳優・木村拓哉の守護霊トーク 「俺《オレ》が時代《トレンド》を創る理由《わけ》」

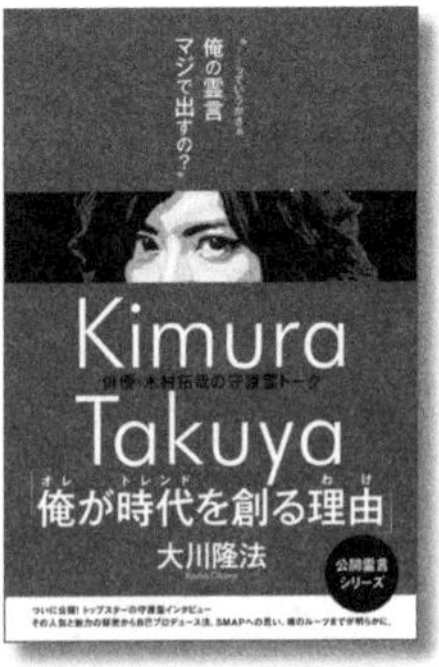

トップを走り続けて20年。なぜキムタクは特別なのか? スピリチュアルな視点から解き明かす、成功の秘密、絶大な影響力、魂のルーツ。

1,400円

「イン・ザ・ヒーローの世界へ」 —俳優・唐沢寿明の守護霊トーク—

実力派人気俳優・唐沢寿明は、売れない時代をどう乗り越え、成功をつかんだのか。下積みや裏方で頑張る人に勇気を与える〝唐沢流〟人生論。

1,400円

マイケル・イズ・ヒア! マイケル・ジャクソン 天国からのメッセージ

マイケル・ジャクソン、奇跡の復活! 彼が天国に還って見たもの、体験したこと、感じたこととは? そして、あの世でも抱き続ける「夢」とは何か。

1,400円

幸福の科学出版

幸福の科学「大学シリーズ」・最新刊

夢に生きる女性たちへ

津田塾大学創立者・津田梅子の霊言

才能や夢を持った女性たちに、どんな未来の扉を開くべきか。生涯を女子教育に捧げた元祖キャリアウーマンが贈る「現代女性へのアドバイス」。

1,500円

デカルトの反省論

科学と宗教は両立しないのか？ 近代の持つ矛盾について、「霊肉二元論」を説いたデカルト本人にその真意を訊く。現代知識人必読の一書。

1,500円

現代の帝王学序説

人の上に立つ者はかくあるべし

組織における人間関係の心得、競争社会での「徳」の積み方、リーダーになるための条件など、学校では教わらない「人間学」の要諦が明かされる。

1,500円

※表示価格は本体価格（税別）です。

大川隆法霊言シリーズ・女神からのメッセージ

天照大神《あまてらすおおみかみ》の未来記

この国と世界をどうされたいのか

日本よ、このまま滅びの未来を選ぶことなかれ。信仰心なき現代日本に、この国の主宰神・天照大神から厳しいメッセージが発せられた！

1,300円

竜宮界の秘密

豊玉姫が語る古代神話の真実

記紀神話や浦島伝説の真相とは？ 竜宮界の役割とは？ 美と調和、透明感にあふれた神秘の世界の実像を、竜宮界の中心的な女神・豊玉姫が明かす。

1,400円

女性リーダー入門

卑弥呼・光明皇后が贈る、
現代女性たちへのアドバイス

自己実現の先にある理想の生き方について、日本の歴史のなかでも名高い女性リーダーからのアドバイス。

1,200円

幸福の科学出版

大川隆法 ベストセラーズ・神秘の扉が開く

神秘の法

次元の壁を超えて

この世とあの世を貫く秘密を解き明かし、あなたに限界突破の力を与える書。この真実を知ったとき、底知れぬパワーが湧いてくる!

1,800円

創造の法

常識を破壊し、新時代を拓く

斬新なアイデアを得る秘訣、究極のインスピレーション獲得法など、仕事や人生の付加価値を高める実践法が満載。

1,800円

不滅の法

宇宙時代への目覚め

「霊界」「奇跡」「宇宙人」の存在。物質文明が封じ込めてきた不滅の真実が解き放たれようとしている。この地球の未来を切り拓くために。

2,000円

幸福の科学グループのご案内

宗教、教育、政治、出版などの活動を通じて、地球的ユートピアの実現を目指しています。

宗教法人 幸福の科学

一九八六年に立宗。一九九一年に宗教法人格を取得。信仰の対象は、地球系霊団の最高大霊、主エル・カンターレ。世界百カ国以上の国々に信者を持ち、全人類救済という尊い使命のもと、信者は、「愛」と「悟り」と「ユートピア建設」の教えの実践、伝道に励んでいます。

（二〇一四年十月現在）

愛

幸福の科学の「愛」とは、与える愛です。これは、仏教の慈悲《じひ》や布施《ふせ》の精神と同じことです。信者は、仏法真理をお伝えすることを通して、多くの方に幸福な人生を送っていただくための活動に励んでいます。

悟り

「悟り」とは、自らが仏の子であることを知るということです。教学《きょうがく》や精神統一によって心を磨き、智慧《ちえ》を得て悩みを解決すると共に、天使・菩薩《ぼさつ》の境地を目指し、より多くの人を救える力を身につけていきます。

ユートピア建設

私たち人間は、地上に理想世界を建設するという尊い使命を持って生まれてきています。社会の悪を押しとどめ、善を推し進めるために、信者はさまざまな活動に積極的に参加しています。

国内外の世界で貧困や災害、心の病で苦しんでいる人々に対しては、現地メンバーや支援団体と連携して、物心両面にわたり、あらゆる手段で手を差し伸べています。

年間約３万人の自殺者を減らすため、全国各地で街頭キャンペーンを展開しています。

公式サイト **www.withyou-hs.net**

ヘレン・ケラーを理想として活動する、ハンディキャップを持つ方とボランティアの会です。視聴覚障害者、肢体不自由な方々に仏法真理を学んでいただくための、さまざまなサポートをしています。

公式サイト **www.helen-hs.net**

教育

学校法人 幸福の科学学園

学校法人 幸福の科学学園は、幸福の科学の教育理念のもとにつくられた教育機関です。人間にとって最も大切な宗教教育の導入を通じて精神性を高めながら、ユートピア建設に貢献する人材輩出を目指しています。

幸福の科学学園

中学校・高等学校（那須本校）
2010年4月開校・栃木県那須郡（男女共学・全寮制）
TEL **0287-75-7777**
公式サイト **happy-science.ac.jp**

関西中学校・高等学校（関西校）
2013年4月開校・滋賀県大津市（男女共学・寮及び通学）
TEL **077-573-7774**
公式サイト **kansai.happy-science.ac.jp**

幸福の科学大学（仮称・設置認可申請中）
2015年開学予定
TEL **03-6277-7248**（幸福の科学 大学準備室）
公式サイト **university.happy-science.jp**

仏法真理塾「サクセスNo.1」 TEL **03-5750-0747**（東京本校）
小・中・高校生が、信仰教育を基礎にしながら、「勉強も『心の修行』」と考えて学んでいます。

不登校児支援スクール「ネバー・マインド」 TEL **03-5750-1741**
心の面からのアプローチを重視して、不登校の子供たちを支援しています。
また、障害児支援の「**ユー・アー・エンゼル!**」運動も行っています。

エンゼルプランV TEL **03-5750-0757**
幼少時からの心の教育を大切にして、信仰をベースにした幼児教育を行っています。

シニア・プラン21 TEL **03-6384-0778**
希望に満ちた生涯現役人生のために、年齢を問わず、多くの方が学んでいます。

NPO活動支援

学校からのいじめ追放を目指し、さまざまな社会提言をしています。また、各地でのシンポジウムや学校への啓発ポスター掲示等に取り組む一般財団法人「いじめから子供を守ろうネットワーク」を支援しています。

公式サイト **mamoro.org**
ブログ **blog.mamoro.org**
相談窓口 **TEL.03-5719-2170**

政治

幸福実現党

内《ない》憂《ゆう》外《がい》患《かん》の国難に立ち向かうべく、二〇〇九年五月に幸福実現党を立党しました。創立者である大川隆法党総裁の精神的指導のもと、宗教だけでは解決できない問題に取り組み、幸福を具体化するための力になっています。

党員の機関紙
「幸福実現NEWS」

TEL 03-6441-0754
公式サイト hr-party.jp

出版メディア事業

幸福の科学出版

大川隆法総裁の仏法真理の書を中心に、ビジネス、自己啓発、小説など、さまざまなジャンルの書籍・雑誌を出版しています。他にも、映画事業、文学・学術発展のための振興事業、テレビ・ラジオ番組の提供など、幸福の科学文化を広げる事業を行っています。

アー・ユー・ハッピー?
are-you-happy.com

ザ・リバティ
the-liberty.com

幸福の科学出版
TEL 03-5573-7700
公式サイト irhpress.co.jp

THE FACT

ザ・ファクト
マスコミが報道しない
「事実」を世界に伝える
ネット・オピニオン番組

Youtubeにて
随時好評配信中!

ザ・ファクト　検索

入会のご案内

あなたも、幸福の科学に集い、
ほんとうの幸福を
見つけてみませんか？

幸福の科学では、大川隆法総裁が説く仏法真理をもとに、
「どうすれば幸福になれるのか、また、
他の人を幸福にできるのか」を学び、実践しています。

入会

大川隆法総裁の教えを信じ、学ぼうとする方なら、どなたでも入会できます。入会された方には、『入会版「正心法語」』が授与されます。（入会の奉納は1,000円目安です）

ネットでも**入会**できます。詳しくは、下記URLへ。
happy-science.jp/joinus

三帰《さんき》誓願《せいがん》

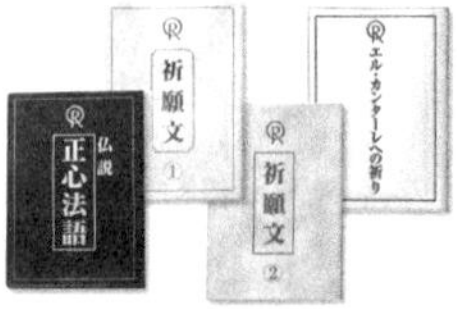

仏弟子としてさらに信仰を深めたい方は、仏・法・僧の三宝への帰依を誓う「三帰誓願式」を受けることができます。三帰誓願者には、『仏説・正心法語』『祈願文①』『祈願文②』『エル・カンターレへの祈り』が授与されます。

植福《しょくふく》の会

植福は、ユートピア建設のために、自分の富を差し出す尊い布施の行為です。布施の機会として、毎月1口1,000円からお申込みいただける、「植福の会」がございます。

「植福の会」に参加された方のうちご希望の方には、幸福の科学の小冊子（毎月1回）をお送りいたします。詳しくは、下記の電話番号までお問い合わせください。

月刊「幸福の科学」

ザ・伝道

ヤング・ブッダ

ヘルメス・エンゼルズ

INFORMATION	**幸福の科学サービスセンター** **TEL. 03-5793-1727**（受付時間 火〜金：10〜20時／土・日：10〜18時） 宗教法人 幸福の科学 公式サイト **happy-science.jp**